見えなくても みんなで 子育て

一人じゃない私たちの30年

かるがもの会・編著

読書工房

凡例

1.「しょうがい」という言葉の表記は、原則、「障害」で統一をしましたが、元原稿で「障がい」を使用されているものについては、そのまま使用しました。

2. 記事のマークは以下の通りです。

かるがも新聞から抜粋したもの

かるがもメーリングリスト（ML）から抜粋したもの

会員同士の座談会（しゃべり場）から抜粋したもの

一会員のブログから抜粋したもの

相談員に寄せられた相談から抜粋したもの

目次

はじめに
かるがもの会とは

かるがもの会は、子育てをしている視覚障害者とその家族、そして、会の活動に賛同してくださる方が集まり、子育てを中心に活動するサークルです。

会員同士の情報交換と仲間づくりを目的に、1991年７月に設立され、2021年７月で30周年を迎えます。

現在、日本全国から70家族ほどの会員が集まっています。

会の運営は、当事者の意見が反映されるようにと、視覚障害者自身が、子育て・家事・仕事をしながら担っています。

会のおもな活動は、メーリングリストの運営です。

メーリングリストは、会員同志の交流や情報交換の場です。子育ての工夫や悩み、生活面や福祉面での情報等の交換を通じて会員が交流を深めています。

また、新聞を年に数回発行し、メーリングリストで送信しています。

その他、電話会議システムを利用して会員同士が気軽におしゃべりできる「しゃべり場」も行っています。

会の活動は、役員４名と各係で担っています。

役員は、代表者、事務局２名、会計です。

係は、メーリングリストの管理をするＭＬ管理人やホームページ作成班、新聞委員があります。

また、会員の家事や育児の悩みを相談員が窓口として対応しています。

その他、総会やイベントを行う際に、実行委員等が設けられます。

このように、視覚障害者自身で、運営しているかるがもの会の生の声として、この本を出版させていただきました。

この本を多くの方に読んでいただき、見えなくても子育てできることを知っていただけると幸いです。

第16期　かるがもの会代表　石井 暁子

この本に
思いを寄せて

当会では、1998年に子育ての本を出版しました。

しかし、子育てを取り巻く情報が変化していることから、2012年の総会で再度本を作成したいという声が会員から出ました。私たちはその総会で役員となり、その思いを引き継ぐことになりました。会の大切な機能である「しゃべり場」の運営や相談窓口を経験する中で、会員の環境もさまざまであると知り、いろいろな子育てに関する情報を得られました。

そして会の「新聞」や「メーリングリスト」「しゃべり場」での会員の声を集めて本に残し、次の世代に役立ててほしいと思いました。この本の編集は、おもに会員当事者である２名が行いました。これらの声の中には、「見えなくてもだいじょうぶだよ。みんなで子育てをしよう」という思いが詰まっています。

この本が、これから子育てを始める視覚障害者の方々や支えて下さるご家族、サポートをして下さる方々の心のより所となると同時に、「かるがもの会」の活動を広く社会に知っていただく一助となれば幸いです。

この本では、Ⅰ章で会とゆかりのある５人の大先輩に書いていただいています。そして第Ⅱ章以降は子どもの年齢に沿いながら視覚障害者ならではの子育てについて会員が書いたものをもとにまとめました。内容についてはできるだけご本人の発言を生かした形で載せています。

最後にこの本を作成するためにご尽力いただいた桜雲会のみなさま、原稿や編集、イラストなど作成にご協力いただいたすべてのみなさまに心より感謝申し上げます。

この本は、2017年度「住友生命　第11回　未来を強くする子育てプロジェクト」で、長年にわたる会の活動が認められ「スミセイ未来賞」を受賞し、いただいた副賞を資金に作成しました。

編集委員　斉藤　恵子

斉藤 寿美子

2018 年 7 月カップヌードルミュージアム横浜
参加者 20 家族とボランティアさん

第I章

かるがもの会当時を振り返って

この章では、
会を支えてこられた大先輩の中から、
発足メンバー、新聞編集委員、代表経験者、賛助会員
それぞれにその当時を振り返っていただき、
会への思いを書いていただきました。

「かるがもの会」に大きな感謝を込めて

斉藤 恵子（発足メンバー）

結婚　そして　うれしい決心

1989年、私は、進行性筋ジストロフィーという病気を抱えた男性と結婚しました。私自身が先天性網膜色素変性症という病気でほとんど視力が無かったので、母には、結婚を反対され、かなりの心配をかけてしまいました。

私たちは、それぞれの両親から離れて東京で生活していましたので、結婚後も東京で暮らすこととなりました。夫は当時長い距離を杖を突いても歩き続けることはできず、車いすを併用していました。私は白い杖をついていました。

まず、アパートがなかなか見つかりません。駐車場があって、駅から近く、家賃が安いという条件だったから当然でした。そして、私たちが２人とも障害者ということも大きく関係していました。それでも何とかアパートが決まり、新婚生活を始めました。

仕事を２人とも続けていましたが、やがて妊娠。喜びよりも不安が先に、私の心に浮かんできました。

夫も私も遺伝性の病気で、生まれてくる子どもに２人とも病気が遺伝することは、初めからわかっていました。もちろん、産むことを決めていても不安な毎日が続きました。そこで、少しでも不安が和らぐならと思い、大学病院の遺伝外来を尋ねました。病院で、ドクターから胎児診断を勧められましたが、「胎児に病気があることがわかったら、子どもをおろす」という流れを感じて、ここで「よし、産んで育てよう！」と私の心がしっかりと定まりました。

私が長男を産んだのは、1990年。妊娠してからは、出産までの体調、出産そのもののこと、赤ちゃんの扱い方などと、どんどん不安なことが押し寄せてきました。マタニティー雑誌も自力では読めないので、夫に読んでもらったり、友人に電話して情報をもらいました。私には、周囲に出産した友人が何人もいたので、情報をもらえて本当にありがたかったです。

昼間は、一人で長男の世話をしながら、ラジオを聞いて過ごしていました。ある時、そのラジオから、とても悲しい痛ましいニュースが流れてきました。目の不自由なお母さんが、泣き止まないわが子に布団をかぶせて窒息死させてしまったというもので、育児ノイローゼになっていたというのでした。とても他人事とは思えませんでした。私にも話を聞いてくれたり、いろいろと教えてくれる友人たちがいなかったらと思うと、いてもたってもいられなくなりました。

かるがも生まれる

そのニュースを聞いた日から何日か経った頃、目の見えない友人の一人Ｙさんが、「お昼ごはんを作って一緒に食べよう」と自分も子育て中にもかかわらず遊びに来てくれました。

ご飯の後でラジオで聞いた痛ましいニュースがとてもショックだったことを話してみると、Ｙさんが言いました。「それじゃあ、会を作ろう！」と。「そんなことが私たちにできるだろうか？」と半信半疑のまま、私は、Ｙさんに引っ張られるようにして、当時頼りにしていた友人たちに２人で声をかけました。

まだ小さな子どもを連れている視覚障害のある友人たちは、私とＹさんの声かけに応じて、新宿にあるホテルに集まってくれました。

夕食を終えて、１つの部屋にそれぞれが小さな子どもを連れて集まって、日頃の思いを話しました。すると、皆が同じように不安で情報がほしいと考えていたことがわかり、全員一致で会を作ることになりました。目の見えないお父さんが立ち上がって、「かるがもの親子がよちよち歩いて靖国通りを渡っている様子が可愛らしいという話を聞いたので、『かるがもの会』がいいんじゃあないか」と言ってくれました。これが「かるがもの会」の始まりになりました。1991年7月、とても暑い夏のことでした。

かるがも歩きだす

それから私とＹさんは、情報不足を補うことを考えました。

世の中にあふれるマタニティー雑誌や育児雑誌に目を付け、これはと思うものを点字とカセットテープに入れて会員になってくれた友人たちに届けようと考えました。

当時は、視覚障害者自ら子育てしている記録がほとんどなかったので、手当たり次第でした。

私は、点字はあまり上手に書けなかったのですが、熱に浮かされたように「新聞」を作りました。

とにかく自分自身が毎日、不安に押しつぶされそうだった妊娠から出産、そしてこれまでの子育てを思い出すと、何か月も待っていられないと思い、毎月届けました。新聞というよりお手紙のようなものでした。

これがやがて「かるがも新聞」と呼ばれて、視覚障害のあるお母さん、お父さんの子育ての日常の様子や悩みなどが掲載されていくことになるのでした。

先に書いた痛ましい事件が起こってしまうのを納得してしまうほど、子育ては毎日本当に孤独です。

母親になる経験は、誰でも初めてのことなのに、私たちは、加えて目が見えないのですから、とにかく不安でなりません。

「あぁ、みんなどうしてるんだろう。仲間がほしいなぁ」の毎日でした。そこで、名簿に赤ちゃんの名前と年齢も入れて、会員同士が連絡しあって仲間作りができるように工夫しました。当時は、個人情報云々にまだうるさくありませんでした。

その他、互いに会って話ができたら、親子とも楽しいだろうと考えて、動物園や海水浴、ケーキ作りなどなど催し物を企画しました。見えない夫婦が子どもを連れて外出するのは大変です。でも、「そこへ行けば仲間たちに会える、ボランティアさんが子どもたちを見てくれる」ならと勇気を出して参加する仲間が増えました。

かるがも育つ

知り合いから知り合いへ、会のことが伝わりました。

かるがも新聞を持って最寄りの社会福祉協議会を訪ねて、会を宣伝してくれる会員もいました。

こうして会員が徐々に増えていきました。同時に、会として体裁が整い、かるがも新聞もとても立派なものになり、活字と点字だけでなく、デイジーという録音形式で音声でも作られるようになりました。このように、視力の程度や点字が読めない方にも丁寧に対応していきました。

年に一度の総会が開かれるようになり、子どもたちが楽しめるレクリエーションと抱き合わせて１泊で企画され、いろいろな所へ出かけることができました。

子どもが成長して会を卒業する会員がある一方、子どもが産まれて新しく入会する方もありました。

いつも新しい風が吹き込んで、世の中の動きが会にも反映しています。

2006年頃から、少しずつ、かるがもの会にもＩＣＴ（情報伝達技術）の波が押し寄せてきました。

ＩＣＴの進歩は、会を大きく変えていくことになりました。

まず、メーリングリストを立ち上げました。

はじめは、メーリングリストの参加会員数は登録会員数の50％を割っていました。そして翌年の2007年には、相談システムを作り、会員による会員のための相談員を置きました。

2008年には、ついにかるがもの会のホームページが開設に至りました。

2012年には、メーリングリストが、有料のサーバーに移行しました。同じ頃メーリングリストの参加会員数は90％に近づきました。

2013年、相談員が主催する「しゃべり場」を音質の良い電話会議で行うようになりました。

2018年には、メーリングリストの参加会員数がほぼ100％となりました。

かるがも新聞は紙媒体と録音での発行を終えて、メーリングリストへ配信されることになりました。

かるがも飛ぶ

振り返ってみれば、いつも私の不安をかるがものみなさんに解消してもらってきました。

こんなことがありました。保育園に子どもを迎えに行くと、毎日のように出口でお母さんたちが立ち話をしていました。なんてことはない井戸端会議です。でも、このなんてことはないものが私にはとても重要でした。中身がないということでさえ知りたい。

そんな私の小さな望みは、かるがもの会の「しゃべり場」で直接お母さんたちと話ができるようになって解決しました。かるがも新聞もありましたが、生の声にすぐに返事がほしいときには時間がかかるので力が及びません。そこで当時NHKで「しゃべり場」という番組をやっていたのをまねて、電話会議で「しゃべり場」を開催したのでした。

「しゃべり場」は、今では会員からテーマを募ってあれこれとおしゃべりする場となっています。生の声はなぜかとても安心したことを覚えています。

また、「しゃべり場」以上に強い味方が、メーリングリストだと思います。24時間いつでも投稿することができ、子どもを寝かしつけたあとで書き込んだり、昼間の手が空いたときに投稿したりできるようになりました。

こうして会の活動が充実してきても思うことがあります。

会のことを知ることができた視覚障害のあるお母さん・お父さんはかるがもの会を通して仲間ができますが、この会の情報が届かない人がいるのではないかということです。

いじめやＤＶ、ひとり親の貧困、コロナウイルスの影響など以前にはあまり注目されなかった問題が、視覚障害のある親子の間にもあるでしょう。今も孤独な子育てをしている人がいるのではないでしょうか？

インターネットで何でも検索できる今では、情報があふれています。でも、必要なときに必要な情報を手に入れられない視覚障害者は、まだいると思います。

一人でも多くの視覚に障害のあるお母さん・お父さんやその身近な人たちにこの本を届けたい。そこにあなたにも加わっていただきたいのです。この本が空を飛んで、遠くの見知らぬ仲間に届いたらいいなぁと思っています。

30年前と今の環境は大きく違っていますが、子どもを元気に育てたいという親の気持ちには変わりはありません。私たち視覚障害のある親がもっともっと楽しく家事・育児ができるように時代に合わせて会も変化していくでしょう。それがこのかるがもの会の生きた姿なのだと思います。

今は長男が生まれてきてくれた頃のような不安はありません。

今度は力づける側に回って、これまでの恩返しを続けていきたいと思います。

〈思い出〉色褪(あ)せない、20 年経っても

星加 理絵（かるがも新聞編集委員）

ホームページをのぞいてみると

かるがもの会を離れて早いもので20年ほどが経ち、最近の活動については何もわからないもので、どんな様子なのかとホームページをのぞいてみました。会の紹介や入会案内、会の歴史、最近の活動日誌などが、わかりやすく丁寧に書かれていました。

かわいいかるがものイラストマークもできたようです。私が在籍していたのは、発足間もない頃から10年ほどの間で、ホームページなどはなかった時代です。月日は経ちましたが、現在のこのページに書かれている内容を見る限り、案外、会の雰囲気は変わっていないのではないかと感じられて、懐かしく、うれしくなりました。

「かるがも新聞」

当時も今も、会員同士をつなぐ大切な役割を果たしているのが「かるがも新聞」だと思います。今はメーリングリストから配信されているそうです。当時は、印刷から発送まで全部手作業でした。私はその編集・発送の係をけっこう長いこと担当していました。編集会議らしきものを持ち、会員のみなさんなどにお願いして記事を書いてもらい、それを取りまとめて、点字版・墨字（普通文字）版の形にします。それぞれプリンタで印刷をして、どちらの方法で読みたいかという希望に沿って発送するのです。

一連の作業の中で意外と大変だったのが、点字と墨字でまったく同じ内容のものを作るということ。何か一つ記事の内容を修正すると、その都度点字・墨字両方のデータを直さなければなりません。これは思った以上に手間のかかることでした。最後に、封入したもの（かなりの分量になっていました）を郵便局まで出しに行くと、毎回、一仕事終わった感じがしたものです。そんな諸々の事務作業、私は楽しんでやっていたのだと思います。

パソコンは使っていたものの連絡手段としてのメールはまだあまり使われていなくて、ほとんどが電話でのやり取りでした。かけるのに相手のお家の都合を気にしたりして、けっこう大変。でもいったん話しはじめると、連絡事項はそっちのけで、おしゃべりが止まらなくなります。いわゆる「かるがもママのあるある話」がいっぱい飛び出して、大きなストレス解消になっていました。原稿のお願いでいろんな人に電話をかけることで新しい知り合いも増えたし、私は、かるがも新聞の編集にかかわることができて、とてもラッキーだったと思っています。

「子育ての本」

かるがもの会は、1998年に『目の見えない私たちがつくった子育ての本　―知ってほしい私たちの子育て』という本を作りました。会員にアンケートを取り、日々の困りごとや悩み、工夫していること、子育てへの思いなどを寄せてもらいました。その回答をまとめているうちに、内容があまりにも濃かったもので、「これを本にしたらどうだろうか」という話になりました。MさんとＩさんと私の３人が、おもに本づくりにかかわりました。この編集の作業は電話だけではとうてい足りず、お互いの家を行ったり来たりしながらになりました。もちろん、ここでも、たくさんの本音トークというオマケは譲れません。

この本のちょっと長いタイトルを考えてくださったのは、墨字版をかわいい装丁に仕上げてくれた小さな出版社の女性でした。正直に言うと、最初にこのタイトルを提案されたときには「えっ」という違和感を覚えたような気がします。でも今思えば、なんとストレートな、そのものズバリのネーミングなんだろうと、その方のセンスに感心させられます。目の見えない自分たちの子育てについて、これから子どもを持とうとする後輩たちに、そして周囲のいろいろな人たちにもっと知ってもらいたいという願いを込めて、自分たちの手で作った本、という意味なのです。

20年以上前のことですから、具体的な子育て情報は古くてあまり役に立たないかもしれない。今はもっともっと便利なグッズがいっぱいありますし、利用できるサービスも格段に増えているはずです。それでも、本の中に出てくる一人ひとりの思いは決して古びていないのではないか。かるがもお父さんやお母さんが日々感じている、視覚障害ゆえの悩みや不安、また、逆に障害があることで得られた周囲の人たちからの親切や手助けなどなどは、年月が経った今でも大きく変わっているわけではないと思います。そういう意味で、今の人たちにも通じる、共感してもらえる話がたくさんつまった本なのではないかと自負しています。

かるがもの行事

娘に「かるがもが30周年を迎えるんだって」と話したら、「へえ、すごいね。もしそういう集まりみたいなのが今あったら、行ってみたいな！」との答えが返ってきました。「○○ちゃんって、けっこうおてんばだったよね」とか、「みんなで海行ったよね」とか、「Mさん家のパパはかっこよかったな」など、いろいろと思い出して、ひとしきり、2人で盛り上がりました。

海に行ったというのは、「視覚障害夫婦だと、プールはまだしも海はなかなか連れていけないよね」という会員同士の雑談から始まった企画でした。やはり危険もあるし、慣れない広いビーチでは周りの様子がわからず、親のほうが自由に動けません。

「それなら、みんなで行ってみようか」という話になったのでした。幹事役の人が頑張って計画を立て、サポートの人を多めにお願いするなどして、実現できました。当日はあいにく波が高くて、たくさん泳ぐまではいかなかったけれど、子どもたちは(大人も含めて)波打ち際で大はしゃぎだったのを覚えています。

今の会ではどうしているのでしょう、私たちの頃は、みんなでどこかに出かけると言っても、新たにサポートしてくれる人などをお願いすることは少なくて、晴眼者の家族の助けも借りながら、お互いにできることをし、声をかけ合って動いていました。参加している大人の大多数が何らかの障害を持っているということも多々あり、今なら無謀だと言われてしまいそうなことも、あまり気にせずやっていたような気がします。イチゴ狩りに行ったり、湖で船に乗ったり、大きなアスレチックをやったり、お台場で遊んだり、とても楽しかったです。

子どもたちも大活躍でした。楽しい行事に参加したときぐらいお手伝いなどしないで、のびのび遊ばせてやりたいという思いはありました。実際、親は勉強会や話し合い、子どもたちは別室でレクリエーションということはよくあった。それなのに、今記憶に残っているのは、それぞれの親子・家族が手をつなぎ、何家族かが連なって目的地まで歩いたり、家族ごとにテーブルを囲みながらみんなでワイワイ食事をしたこと。

子どもたちは、むしろいつもより楽しそうにお手伝いをしていました。自分より小さな子の面倒を見たり、ときには「ほかの家族のことも気づかって声をかける」みたいなことも、けっこうやっていました。

その頃、会員のお母さん同士で話したことがあります。かるがもの子どもたちには、自分たちの家族だけが親の目が見えなくて特別なんだと、なるべく意識しないで大きくなってほしい。こうやって他にも見えないお父さん・お母さんはたくさんいるのだし、そもそも世の中にはいろんな状況の人たちがいるのだから、どこかの家だけが特別なわけはない。そんな気持ちで育ってほしいと願ったものです。かるがもの行事に参加することは、近所の友だちと過ごすのとはまた違ったかかわりが生まれる。大げさな言い方をすれば、人間性を豊かにしてくれるのではないかと考えていました。

親たちにとっては肩ひじ張らず自分の思うことを語れる所、子どもたちにとっては日常とは少し違う集団に参加できる所。どちらにとっても素晴らしい集まりの場が、30年間も続いてきたというのは、なんて素敵なことなのだろうと思います。

子育ては共育ち

佐々木 貞子（第３期かるがもの会代表）

かるがもの会との出会い

かるがもの会30周年おめでとうございます。

私は発足後数年経ってから「かるがもの会」を知りました。娘２人はすでに小学生になっていました。出産して子どもが小さい頃、子育ての悩みを話し合える仲間づくりをしたいと思いましたが、その頃は自分の子育てに精一杯で、具体的に行動できませんでした。

娘たちが保育所へ行きはじめ、昼間できた時間を有効に活用しようと、放送大学で学びはじめ、やがて卒業論文を書くにあたってテーマにしたのが、「視覚障害のある母親の子育てと地域福祉」でした。

当時は地域に専業主婦が多く、地域住民の協力を組織化して、視覚障害ママの子育て応援団になってもらえる仕組みを考えて提案しました。

論文の取材のため、視覚障害者の子育ての実情をインタビュー調査する中で、かるがもの会を知りました。私ができなかったことを、若いママ・パパはしなやかに実現してくれたとうれしくて、設立メンバーに感謝し、遅ればせながらと入会しました。そして軽い気持ちで旅行に参加したのがきっかけで、なぜか３代目の代表になってしまいました。今思えば良い経験をさせていただいたと思っています。

当時はＩＣＴ活用もこれからという時代で、会の活動は行事の開催や機関紙発行が中心でした。会員同士が出会い、情報交換することは大変重要でしたが、その名の通り、親子で行動する「かるがもたち」が集まり、幼い子どもたちを安全に遊ばせながら、親たちの交流を充実させることは容易ではありません。子どもたちを抱えた見えないママ・パパがボランタリーに運営する会ですので、限られた人の過度な負担を避け、一人ひとりの力を出し合って会を円滑に運営できるやり方をとみんなで模索しました。

また、妊娠・出産・子どもの成長につれ、直面する多くの課題を、どのように解決できるのだろうか、子どもたちは親の障害をどのように受け止めるのだろうかということは、会員共通の強い関心事でした。

前者については、会員にアンケート調査を行い、数多くの経験と知恵が寄せられ、関心の高さ、子育てへの熱意をあらためて認識させられました。また、視覚障害のある両親に育てられ、成人となった２人の方を招き、話を聞くとともに、現在子育て中の会員からも今の暮らしや思いを聴き、話し合う集いを開催することができました。

この成果はその後、1998年に『目の見えない私たちが作った子育ての本　―知ってほしい私たちの子育て―』に収録され、書籍化されました。私はすでに役員を退いていましたが、この本が社会に送り出されたことは何よりうれしくて、編集委員をはじめ、会員のみなさまに感謝し、お礼を言いたい気持でいっぱいでした。

さて、私がかるがもの会にいた頃、「子育ては共育ち」という言葉を知り、好きになりました。親は、子育てからさまざまなことに出会い、学び、考え、多くの人とかかわり、経験を重ねながら、人として成長します。子どもを育てながら自身も育てられているのです。子どもから学ぶことも多いし、子どもがいればこそ意外な力を発揮できることもあるのです。持てる力を発揮し存分に「子育ち」できる環境は、親に障害があろうがなかろうがとても重要で、その整備は社会全体が考えていく必要があるのではないでしょうか。

そして時は流れ、懸命に生きた日々を誇れる自分がいて、大人になったわが子のほほえみがあったなら、それは人生の大きなご褒美です。

子育てをめぐる社会の価値観について思う

ところで、私がかるがもの会を卒業してもずっと気になっていることがあります。それは子育てをめぐる社会の価値観、子育てへのまなざしです。私が子育て真っ最中の頃は母性神話が強く、母親がおもに育児を担い、自己犠牲のもと子どもの世話をかいがいしく行うことが当たり前という風潮がありました。そして障害のある母親は障害ゆえに何もできないと決めつけられることが多く、私も子どもと歩いていると、「あんな小さな子が目の見えないお母さんを連れて歩いている！ かわいそうに……。ご飯は誰が作っているのだろう？」と、奇異な視線を浴びることが少なくありませんでした。

その頃から30年以上も過ぎた現在、そんな差別意識も少しは薄らぎ、パパの育児参加も進んできたとは思います。障害への理解促進もある程度行われています。しかし、子育ては各家庭の問題で、とくに母親の責任であると受け止める意識はまだまだ強く、母親自身、そんな価値観を知らず知らず身につけているのではないでしょうか。それは障害の有無にかかわらず、時に母親を縛り苦しめます。

父親にとってもよいことではありません。そして障害者を劣る存在とみなす優生思想もこの社会に深く根付いており、時に心が凍えるようなことが起こっています。

　このような社会のあり様は、一朝一夕には変わりません。

　ですが、私たち個々人の意識を変えていくことはできるのではないでしょうか。

　私は子どもが幼い頃、自分の障害について悩むことも少なくありませんでした。子育てをする上で、障害ゆえに困難な具体的なあれこれは工夫したり、手助けしてもらったりで何とかなりました。ですが、周囲の一部の人々の偏見が子どもの心にどんな影響を与えるのか？　気になりました。出した結論は自分がひるむことなく、自己を肯定し堂々と生きる姿を子は見ながら育ち、やがて人生の糧にしてくれるだろうという、未来への希望でした。

「反面教師のおかげでうちの娘たちはいい子に育った」という夫の寸評もありますが、失敗があったかもしれないけれど、「わが子育てに悔いなし」と、自己満足している私がいます。

　さて、社会のさまざまな分野で、当事者同士が支えあうピアサポート活動の効果と重要性が認識されています。今後は、より評価され、大きな役割を果たしていくことになるでしょう。

　継続は力なりといいますが、30年間続き、さらに発展させようとする、かるがもの会のみなさまに熱いエールをお送りしたいと思います。

　フレッ、フレッ、かるがも！

かるがもの会とのかかわり

石田 浩子（第14期かるがもの会代表）

入会、そして総会への参加

私がかるがもの会の存在を知ったのは1998年秋、ちょうど娘を妊娠していた時期でした。夫の同級生で当時かるがもの会の会員だったＩさんから紹介されたものでした。翌年娘が生まれ、初めての子育てに奮闘中で、新しいことに踏み出せずにいたのですが、この年の秋にようやく入会することができました。当時会の窓口をしていた方に電話で入会の意思をお伝えしたところ、「年会費は３千円です。地方にいると会のイベントにも参加しにくいでしょうから、隔月発行（当時はかるがも新聞は隔月発行でした）の新聞を読むだけになりますけど、それでも入会されますか？」と聞かれて、「かまいません、よろしくお願いします」と答えたのを覚えています。

それから私は「かるがも新聞」を読むのが楽しみの一つになりました。毎回ポストの中に見つけるとすぐに封を切って一気に読んでしまうほどでした。そこにはいろいろな世代の子どもを持つ会員の日常や、会員が企画するさまざまなイベントの様子、年１回開かれる総会とレクリエーションの報告、そして、子育てに関するいろいろな情報が生き生きと描かれていました。私は「あぁ、楽しそうだなあ、私も参加したいなぁ」といつも指をくわえてみているような状態でした。その頃のわが家には子どもたちを連れて遠くのイベントに参加するような金銭的な余裕はなかったのですが、「いつかきっと子どもたちと一緒にかるがもの会の総会に参加しよう」と思い続けていました。

その夢がかなったのは2011年、娘が小学校６年、息子が小学２年の夏でした。前日の夜に出発し、急行寝台、新快速を乗り継いで集合場所の三宮駅でほかの参加者と合流しました。初参加の私はなぜか書記を頼まれて、総会の雰囲気もわからないまま、何とか乗り切ったのを覚えています。その後の懇親会と２日目の花鳥園見学でも、参加者全員がとても和やかな雰囲気でした。初めてお会いした方もいましたが、まるで昔からの友だちのような感じでした。これはとても不思議な感覚でした。小学校のＰＴＡの集まりではこうはいきません。やはり同じ視覚障害者同士ということで、私自身気持ちがリラックスできたのだと思います。子どもたちも他のお子さんと打ち解けて、楽しそうでした。本当に参加してよかったと思いました。

メーリングリスト

2006年頃、かるがもの会も時代の流れに乗って会員同士のメーリングリストが誕生しました。まだ携帯メールがそれほど普及していなかったので、参加者は全会員の半数以下だったでしょうか。それでも新聞や電話に加えて、メーリングリストは会員同士の交流手段として大変大きな役割を果たすことになりました。視覚障害者にも使いやすい携帯電話やスマートフォンが普及した今では、会員のほとんどがメーリングリストに参加し、子育てだけでなく他団体のイベントの案内やテレビ番組の紹介などたくさんの情報が飛び交っています。2016年から新聞の発行もメール配信のみとなったことで、このメーリングリストが会の活動の中で最も重要なものになりつつあります。

私はふだんあまりメーリングリストに投稿するほうではないのですが、一つだけとても印象に残っていることがあります。

娘が小学校に入学したばかりの頃、ＰＴＡの学年懇親会に参加した時のことでした。保育園が一緒だったお母さん方は誰も参加していなかったので、知っているのは担任の先生だけでした。田舎の学校でしたから、親子二代にわたって同じ小学校に通っているなど珍しくないことでした。「ずっと前からお友だち同士」というような雰囲気が漂っていて、参加者の自己紹介もされないまま、だらだらと会が進んでいきました。その中で私は孤立し、疎外感に押しつぶされそうになりながら、それでも隣のお母さんが取り分けてくれた食べ物を何とか飲み下して、適当に笑顔を作って時間をやり過ごしました。ママ友を作ろうと思って参加した会だったのにこんな結果に終わってしまったことで本当に自分が情けなくて、帰宅して涙が止まりませんでした。

翌日、私はたまりにたまったうっぷんを書きなぐり、メーリングリストに投稿しました。すると、「私も同じ経験をした」「見えないと周りの状況がわかりにくくて、仲間の輪にも入れないことがあるよね」「うちの学校のＰＴＡでは、そういう時は自己紹介があるよ」「あなたが悪いわけじゃないからそんなに落ち込まないで」などなどたくさんの返信が届きました。私はみなさんのメールに励まされ、気持ちが軽くなり、「こんなことで負けるもんか」と勇気が湧いてきました。そして、仲間の大切さをしみじみと感じました。

新聞編集委員

私が編集委員を務めたのは、2009年度から2011年度までの３年間でした。毎年メンバーが入れ替わりました。また、作業班のみなさんは、点字や活字の校正や印刷、デイジーの録音、発送など、本当にたくさんのみなさんと一緒に新聞づくりをさせていただきました。当時は年５回の発行でしたから、やっと編集が終わって作業班にデータを回したと思ったら、すぐに次の号の原稿の募集を始めていました。ですから、一年中新聞のことが頭から離れないような状態でした。新聞づくりで一番大変なのは原稿集めです。毎号の特集テーマに沿って、名簿を片手に何軒も電話して原稿依頼をします。すぐに受けてくださる方もいらっしゃいますが、いろいろな事情で難しいとおっしゃる方もいます。立て続けに何軒も断られると気持ちが萎えてしまいます。やっと書き手が決まってホッとしていると、今度は締め切り日を過ぎても原稿が届かないので、また催促の電話をする……。こういうことを何度も繰り返していると「もうやめてしまいたい」と思ったこともありました。

そんな中で特に印象に残っている記事があります。編集委員最初の年だったと思いますが、確かＫさんの案で「親の障害について」というテーマで子どもたちに作文を書いてもらおうということになりました。ところが書いてくれそうなお子さんがなかなか見つかりませんでした。

そこで、「こちらで質問を考えてアンケートを取ってみてはどうか」ということで、簡単な質問をいくつか考えてメールで送り、何人かのお子さんに協力してもらいました。ここではその詳しい内容を割愛しますが、アンケートでわかったことは、「子どもたちは親が思うほど親の障害のことを深刻には考えていない。むしろそれが普通だと思っている。子どもたちは、純粋にありのままを受け止めてくれている」ということでした。この意味はとても大きいことです。そして、この企画はかるがもの会ならではのよい企画だったと思います。

３年間の編集委員は大変なこともありましたが、とてもよい経験でした。たくさんの会員とかかわりを持つことができて、かるがもの会が私にとってより身近な存在になりました。

代表として

新聞から離れて少し会との距離が遠ざかっていた2016年春、Mさんから「次期役員を引き受けてほしい」という電話がありました。Mさんのおはなしでは、なかなか役員の引き受け手がなく苦労されているようでした。そこで、私は「もし誰も引き受け手がなかったらやります」と答えました。その後、Mさんから連絡がなかったので「もう役員は決まったのだろう。私は何もしなくて良いのだ」と安心していたのです。ところが、その後の電話で会の休止が決まったとのお話で、本当に驚きました。どうやら「役員をやってもいい」といったのは、私だけだったとか。次の電話では、「相談員のＳさんの尽力でやっと役員を引き受けてくれる人が見つかったから、石田さんは代表をやってください」と言われました。私としては裏方のほうが性に合うと思ったのですが、今は会の存続がかかっている重大な時期、わがままなど言っていられないので、代表を引き受けることにしました。そして、何年ぶりかで2016年の総会に参加したのです。

それから２年、力不足の面も多々ありましたが、役員のみなさんをはじめ、会員のみなさんに支えられて無事にやってこれました。

会員との電話やメールのやり取りで、再び会の存在が身近になりました。

かるがもの会は、会員数は70家族前後でそれほど大きな会ではありませんが、全国規模であること、子どもの年代が幅広いこと、視覚障害の程度がさまざまであること、家庭環境の違いなど、いろいろな会員がいます。また、発足から４半世紀を超えた今、会員のニーズも昔とは違ってきています。それらをすべて網羅することは不可能ですが、会員がいつでも気軽に声をあげられるような風通しのよい会であってほしいと思います。そして、全国に一つしかない「視覚に障害のある親の会」であるかるがもの会がこれから先も長く続いていってほしいと願っています。

かるがもの会での出会いから

田中 加津代（ＮＰＯ法人弱視の子どもたちに絵本を、かるがもの会賛助会員）

会の真摯な姿勢に心洗われる

私が活動をしているＮＰＯ法人は、視覚障害の子どもたちの読書環境の改善を主旨とし、子どもたちの成長へ寄与できることを手探りしながら進めてきました。「入り口が出口よ」と説明するほどの極小の団体ですが、望みだけは、大風呂敷です。

赤ちゃんから成長して、やがて母親や父親になって、子育てをすることも視野に入れ、その成長を見守りたいと考えているのです。最初から、先々を視野に入れていたのではありません。「かるがもの会」に出会えたことが発端でした。

私たちは、視力の弱い子ども向けのオリジナルな絵本制作の手がかりを求めていました。「かるがもの会」のメンバーの一人に相談する中から、会員の出産のお祝いに絵本を作るというアイディアが出てきました。彼女が、総会で提案するというので、東京の総会へ私たちは参加することとなりました。新参者の私たちは、傍聴しながら、この会は、あちこちで見てきたＰＴＡとか、地域の集まりのような、なれ合いの会ではないことに、心洗われました。

様子を見て適当に合わせるというのではなく、内容の確認、自分の持った疑問や考えを率直に述べあい、互いの話に耳を澄まし、きちんと議題に向き合う姿勢がありました。離れた地方に会員が散らばっているにもかかわらず、この会が長年にわたり引き継がれ、会員の必要に応じていけるように、時代に沿った運営していることにも、驚きました。

その後、かるがもの会の会員に意見を聞き、点字楽譜を見てもらい、絵本は完成しました。出来上がった絵本「わらべうた」は、点字、活字、ＣＤ付きの形となり、これまで何人かの会員に、出産のお祝いとして受け取ってもらいました。

「見えない」という立場でお互いをわかり合える

絵本制作のつながりから、それ以来毎年、賛助会員として総会に出席し、今では、事務や会計の補佐などに関わるようになり、さまざまな会員と知り合っていくことができました。

私たちのＮＰＯ活動で出会う子どものご家族には、どのように視覚に障害のあるわが子を育てていったらいいのだろうか、将来はどうなっていくのだろうか、という不安や迷いがあります。

そんな折に、私たちは、「かるがもの会」の会員を思い出し、子育てや仕事をして生きている先輩として、メンバーのことを話しています。私たちの例会に、かるがもの会員が観客や講師として参加してくださったときには、親御さんに紹介をします。親同士としてわかり合えるというだけでなく、子どもと同じ立場を歩いてきた体験を聞けるという得難い存在です。ワーキングマザーの会員が、素晴らしいウクレレの演奏と歌を披露していただいたことも、忘れられない思い出です。

見えない親の子どもとの出会いから

私たちは、ＮＰＯ活動での見えない子どもとの出会いと共に、かるがもの会の見えない親の子どもとの出会いにも、大きく心揺さぶられる経験をしてきました。

各地方での集まりにも、会員のみなさんは子連れで、楽しそうに参加されています。私たちは行き先で保育の役割を担うこともあり、総会のあった東京や岡山や神戸へ、会員の子どもと一緒の旅をしてきました。

中でも、何度か一緒に旅をしたのがＫ君です。一人っ子の彼は、年に１回の総会で知り合い、友だちになった子との再会をとてもとても楽しみにしていて、期間中はずっと引っ付き合っていました。お母さんのいないところで、ちょっと羽目を外して楽しんでいる様子です。保育係の私の言うことを、顔色を見ながら、聞かないような、やんちゃな男の子です。

その彼は、駅などお母さんと２人になった場面では、お母さんがわかること、知らせないといけないことは何かを、さっと判断し、何気ないしぐさで誘導していました。さっきまで駅のどこにいたかなと思うのに、さっと現れて手助けをします。お母さんが、いちいち頼んだり指示したわけではないのです。遊びたい気持ちや他に関心を呼ぶものがあっても、今はお母さんが最優先と判断をしているのです。彼は誰に対しても、静かにすばやく黙って手助けをしているのでしょう。「助けてやる」などと驕ることなく、自然に身につけた振る舞いで。それは、どんな学校でも、塾でも、お説教でも身につかず、たどり着けないものだろうと思います。

「かるがもの会」があるから！

ＮＰＯ活動でつながってきた子に、「大きくなって、自分の子どもを育てるのは、どうなるのかな」「できるのかな」と話しかけられたときがありました。

即答しました。

「視覚障害のママとパパが集まり、子育てを支え合う『かるがもの会』があるから、だいじょうぶよ。あなたやみんながママやパパになったときも、『かるがもの会』があるようにと私たち応援してるの」と。

かるがも家族のベストショット❶

かるがもの会会員のＩさんから家族のベストショット写真を
ご提供いただきました。

おたんじょうびに
家族でハイポーズ

クリスマスに

第Ⅱ章

妊娠から出産

この章では、
出産の時のエピソードから始まり、
母子手帳のことや障害年金のことで、
産後の心に向き合う姿が書かれています。

妊娠

妊娠に気づかなかった

M・Sさんの場合………

私は、まったく視力がありません。当時少し視力のあるパートナーと暮らしていました。

とても衝撃的な話になってしまいますが、実は、私は、出産するその日まで妊娠してることに気づかなかったのです。

朝からお腹が痛いと思っていて、寝ていれば治るだろうと思っていました。でも、なかなか治る気配もなく、それどころかドンドン痛みが増していくだけなので、「これはおかしい」と思い、とりあえず近くの内科に行ってみました。原因がわからず、ひとまずレントゲンを撮ろうということになりました。その時はまだ妊娠してるなんて思っていなかったので……。

するとすぐに先生が「なんか、影が写ってる」と言われて、エコーをやりました。それで子どもがいて、もう生まれる寸前であることを知らされました。

さて、ここからが大騒ぎ。当時私は都内に住んでいたのですが、私をどこに搬送するかということになりました。結局、都立の病院に搬送してもらい、そのまま分娩室へ連れて行ってもらって、出産したのが今の息子です。

それからが、おそらく、先生や看護師さんたちは大変だったと思います。

なにしろ障害者の出産を受け入れたのが初めてだったようで、お互い試行錯誤しながらの入院生活になりました。夜中にナースコールで看護師さんを呼んでオムツ替えを手伝ってもらったりしました。

大部屋が満杯で個室になってしまったけれど、「結果的にはいろいろ覚えられたのでよかったのかもしれない」と今では思えます。

私が、妊娠に気づかなかった理由をまとめてみます。

盲学校では、避妊の仕方、妊娠の仕組み、妊娠中の症状、妊娠中にしてはいけないことなどの知識を教えてもらえなかった。

日頃から生理不順だったので医者から妊娠しにくいと言われていた。

吐き気や胃のむかつきなどのつわりの症状も、子宮の中で子どもが動く「胎動」もわからなかった。

ちょうど身内のことで忙しく、自分のことを考えている余裕がなかった。

体重が4kg増えたが、太ったのだろうとしか思わなかった。

兄弟はいたが、まだ出産している友だちなどが周りにいなかった。

以上です。

（2018年のＭＬ投稿）

Ⅱ-1-b 病院スタッフの対応が不安

結婚後、赤ちゃんに恵まれた方々の初めての出産までの努力、出産後の努力などが、メーリングリストに投稿されました。

M・Kさんの場合………

私たちは夫婦共にまったく目が見えません。2人で暮らしています。正しくは10月に生まれる予定の女の子と3人暮らしです。わが子もおかげさまで明日から31週目。これまで、市の保健師さんや助産師さんに訪問していただき、市の事業の中で、私たちに活用できるママサポ*1やファミサポ*2の存在を教えていただきました。

さらに、いまだ首の座らない赤ちゃんを模して作った人形を貸していただき、沐浴や着替え、オムツの取り換え、抱っこなどの練習をさせていただき、お世話の仕方の大きな不安は少し軽減してきました。必要な物も少しずつ揃いました。園も見学に行きました。遠くの保育園しか入れなかったら、ちょっと困るなあと、そんなことまで考えていました。

先日は、初めて電話で「ベビーベッドをほぼ組み立てたのですが、最後の部品をどこにはめるのか、一緒に説明書を見て教えていただけませんか？」と頼んだのですが、「それはママサポがやることではない。ベッドは赤ちゃんの命に係わる大事だから、責任を取れない」などと言われ、がっかりしました。

「どこまでがママのサポートでしょうか？」と聞きたかったけど、ぐっと我慢し、結局、目の見える同僚が遊びに来たときに見てもらい、ベビーベッドの部品のことは５分ほどで解決しました。

出産のために入院する総合病院のスタッフは、私の視力がないことを心配してくださって、病院スタッフと私との事前の意見交換会が開かれるのですが、どんな話が出るのか、とても不安です。

テーマは、目が見えないと夜中にベッドから赤ちゃんを落としてしまうのではないかとか、一人では授乳できないかもしれないので、両親に付き添いで泊まってほしいなどのようです。

総合病院ではハイリスクの患者が多くて、スタッフの数も足りないから、なおさら心配みたいですが、実の母はそれほど体調が良くないので、大きな負担はかけられないし、義母にも気を使ってしまうので……、これまで付き添いのことでは相当悩んできました。

私は、ママ友さんにも意見を聞いて、「夜は授乳室で預かってもらえるか、授乳の仕方は助産師さんに教えていただけるのか」など、事前に手紙を書いて助産師さんに渡してあります。

＊１：ママサポ　自治体などで母子手帳を取得した妊婦と産後１年未満の産婦を支援する公的な事業の呼称。

＊２：ファミサポ　依頼会員と提供会員がファミリーサポートセンターに無料登録し、助け合う有料ボランティア活動です。市区町村がファミリーサポートセンター設立運営を行い、会員を対象に、育児、介護に関する知識技術を身に付けるための研修会を実施しています。保育・家事・妊産婦・高齢者など幅広い対象や活動で支援を行います。

M・KさんのML投稿へ6件の投稿がありました。

Aさんの場合………

私は、出産当時少し見えていましたが、最初に受診した病院では対応できないと言われ、市立大学病院を紹介されました。

学生の助産師や看護師さんたちが協力してくれて、もちろん婦長さんも、何度もベッドにきて、いろいろ考えてくださいました。

新生児用ベッドの反対側には、キャスターが付いた2段のワゴン（ナースたちが血圧計や聴診器を載せて運んでいるもの）を壁に添わせるように置き、その上段に計った体温計やナースが代筆するための排泄や授乳の時間を記録するノートを置くようにと言われました。

赤ちゃんを連れて行くときは、別の、空のベビーベッドを持ってお迎えにきていただきました。

長男は3月に生まれたこともあり、4人部屋を2人でとスペースを広く使えたというのも大きかったかもしれません。

第2子は5月に産みましたが、「1人目のときはこうしてもらいました」というと、近所の医療センターでもすんなりと受け入れてもらえました。

Bさんの場合………

私の家族は、少し視力のある夫、ほとんど視力のない私、中学2年生の長男・小学5年生の次男・小学1年生の長女、盲導犬の4人と1頭で一緒に暮らしています。私の長男と次男は大阪の大学病院で、娘は札幌の総合病院で出産しましたが、事前に会議はしませんでした。

ただ、「どういうふうにすれば、病棟内を一人で移動できるか？」ということを聞かれたので、

・部屋は大部屋でもいいけど、入り口を入ってすぐのところにしてほしい。
・自分の部屋のドアには、触って判る目印を付けてほしい。
・共同で使うところ（シャワールームや処置室など）の入り口にも、目印を付けてほしいというようなことをお願いしました。
長男を出産したとき、助産師さんがドアのところにふわふわした人形を付けてくれました。

その他、ナースステーションとシャワールームに近い部屋にしてもらいました。

出産後、「赤ちゃんを、夜中だけ授乳室で預かろうか？」と言われましたが、退院したら、昼夜関係なく世話しないといけないので、「いえ、いいです。しんどくなったらお願いします」と答えて入院中から赤ん坊と一緒にいました。

ということで、まったく目が見えなくても触って判るものを部屋の入り口に用意してもらうことと、できるだけ移動を少なくしてもらうことくらいで、あとは他のママさんと同じでだいじょうぶということです。

入院中のママの食事は、自分で返却することになっていました。私の場合は、食べ終わったらナースコールを押して、さげてもらいました。

音声の腕時計を持参して、赤ちゃんが何時に「母乳を飲んだか」「おしっこや、ウンチをしたか」などを覚えておきました。そして、助

産師さんに、時間などを、病院の記録用紙に代筆していただきました。

Cさんの場合………

私はまったく見えなくて、息子を産んだとき、個室だったので移動はほとんどありませんでした。さらに息子は黄疸がひどく、2,000グラムとちょっと小さめだったので、お部屋では一緒に過ごせませんでした。入院中は看護師さんがお迎えにきてくださって、移動もスムーズでした。

私はオムツの替え方など勉強方法も工夫せず、性格上勝手に、「なるようにしか、ならないしね♪」と思っていたので、何も知らないまま突入していました。

しかし、看護師さんは、手出しは一切せず、必要な部分だけを的確に教えてくださいました。

例えば、おしっこをしていたら、紙オムツをつまんで見ればゼリー状の感触になるから内側を見なくてもわかるというようなことを実践で学びました。

出産後５日目の退院時は、息子は一緒に帰れませんでしたが、お姑さんが搾乳した母乳を持っていってくれていました。それからすぐに息子は退院し、その後は１か月、お姑さんたちに見守られ（プチ同居）、なんか寝たり起きたりしつつ、別に何もせずグダグダだったような気がします。

Dさんの場合………

私は未熟児網膜変性症で少し視力がありましたが、出産により視力を失いました。

また、難聴で補聴器を使っています。小学５年の息子と小学３年の娘と３人暮らしのシングルマザーです。

私は個人の産院で出産していますが、その産院では、相部屋、個室、特別個室の３つから選べるようになっていて、息子のときは特別個室の洋室に、娘のときは特別個室の和室に入室していました。バス・トイレ付きでしたので一度覚えてしまえば自由に移動していました。

ご飯は持って来てくださって、下げてくださいましたよ。

息子は肺に羊水が残っていた関係で総合病院に入院したので、親子は十日間くらい離れ離れでしたが、息子が退院する際に、出産した産院に親子で再入院し、授乳や沐浴、おしめ替えなど、２泊３日で教えていただくことができました。

看護師さんがいろいろとサポートしてくださったおかげで、スムーズに快適に子育てをスタートすることができたので、幸せだったんだなあと思いました。

Ｅさんの場合………

私は当時、中心視野が少し残っていて、総合病院で出産しました。

私が網膜色素変性症だったため、遺伝していても小児科や眼科がある病院で産めば、その後もカルテなどが残って、対応してもらえると思ったからです。

私は入院時にＳ字フックとちょっとした袋を持参して、その中にテレビのリモコンやちょっとしたものを入れて、ベットの手すりにかけていました。

お尻ナップ（お尻拭き）もあった時代でしたが、病院内では布オムツを使用するところだったためか、オムツ替えのときはソースを注ぐような容れ物に水を入れ、脱脂綿を濡らしてからお尻を拭くように言われ、オムツ交換１回につき４枚くらい濡れ脱脂綿を作ってベビーベットの脇の手すりに１枚ずつ載せ、お尻を拭いていました。

授乳の時間やオムツ交換の記録などは、１人目は半年くらい、２人目は２か月くらい取り続け、リズムがつかめたのでやめました。

今ならiPhone（アイフォン）のメモ機能を使ったりできますね。

入院中、ママ友もできました。このママ友は、移動などを手伝ってくれたり、検診も一緒になることもありました。そして、子どもが小学生のとき、このママ友と再会して驚きました。

ママ友とはいつどこで出会うかわからないので、出会いを大事にしてくださいね。

それから、へその緒ですが、１人目のときは自宅に帰ってから取れたのでなくさなかったのですが、２人目のときは入院中に取れてしまい、探してもらったのですが、オムツにまぎれたのか見つからず、残っていた胎盤を切り取ってもらったことを思い出しました。

Ｍ・Ｋさん、オムツ交換と入浴時は、へその緒も確認してみてください。

Ｆさんの場合………

私は、まったく目が見えない専業主婦で、ほぼ見えない夫と、２歳３カ月の娘と３人暮らしです。

出産直後に母が体調不良で頼れなくなって、病院の助産師さんたちに、無理を言ってサポートをお願いしました。ナースステーションでキャスター付きのベットに寝かされている赤ちゃんを探すために娘のベッドには、鈴をつけてくださいました。それから、退院日を子どもの世話に慣れる目的で、３日間延長してもらうことができました。

私の場合は、４人部屋にしましたが、結局、自分も含め、どのママも余裕がなく、話もできませんでした。ひとつ、よかったのは、自分がハンディがあって、うまくいかないと感じて、辛くなっていたときに、夜中に同じように悲しくて泣いている障害のないママもいるのを知り、みんな同じなんだと思えて、気持ちが楽になったことでしょうか。

M・Kさんのその後の投稿
「病院スタッフとの意見交換会の報告」

ドクターは相変わらず心配されているみたいでしたが、看護師長さんがすごく気さくな暖かい方で、とても救われました。

両親に泊まってもらわなくちゃ困ると言われていましたが、事前に書いた手紙も功を奏したようで、「両親の宿泊はいりません」と言っていただけたのです！！

入院棟のオリエンテーションもしていただけることになりました。看護師長さんの口から何度も、「できることはやりますから、いろいろコミュニケーションを取っていきましょう。赤ちゃんは楽しみですものね。明るい気持ちでいきましょう」と言っていただけたことが本当にうれしかったです。

でも、病院はスタッフが少なくて、赤ちゃんと私の母子同室で２人きりにさせられないことは変わりません。なので、私には日中は見える人が誰か必ず付き添うこと、そして、すごく手薄になる夜間の19時から朝の10時くらいまで新生児室で赤ちゃんを預かってミルクを飲ませておいてくださるということで、話が丸く落ち着きました。

本当は、夜も赤ちゃんと過ごす練習をしたいと思わないと言ったら嘘になりますが、病院側も事情があるので、私たちも歩み寄る姿勢が大切だろうなと思った次第です。

このご時世、どの病院でも行われるという沐浴指導や調乳指導が、こちらの総合病院では一般の妊婦さんにさえ指導されていません。それほど病院は手が足りないようです。

だから私たちも退院してから、改めて助産院に入院か、もしくは訪問していただいて、ゆっくり沐浴や調乳指導をしていただこうと思い、近々相談に行ってみるつもりです。

手が足りなくて私の手洗いやシャワーまで共同の物を使用するために心配されたり、面倒をかけるのも心苦しいです。だから個室を希望してきました。その点についても、看護師長さんは「他の重症患者さんに譲らざるを得ないこともあるのだけれど、その点は私ががんばるわね」とまで言ってくださって。こういう看護師長さんに巡り会えただけでも、すっかり気持ちは晴れ渡るようでした！

「退院の報告」

まずは、母子ともに無事に退院できたことをご報告させていただきます。まだまだ帝王切開後のお腹の傷は「カナーリ」痛みますが、可愛くてたまらないわが子を目の前にすると、痛みなんてぶっ飛んでしまうので不思議です。娘がお腹が空いたときに命がけで泣く泣き方と、おむつが濡れて気持ち悪いことを訴えるときのちょっぴり恥ずかしそうな泣き方、その違いがちょっとずつわかってきて、うれしくなったり……。

自宅に帰ってしばらく自分のペースで動けるようになったら、心も安定して、想像以上に楽しく穏やかに過ごせています。また、いろいろ悩むと思いますが、みなさんがここにいてくださるから、とっても安心しています。

（2018年のＭＬ投稿）

【お役立ち情報】

点字版・デイジー版 母子手帳

◎点字版母子健康手帳があるのをご存知ですか？

妊娠がわかって役所の窓口に行くと、「母子健康手帳（母子手帳)」が公布されます。そして希望すれば視覚障害者には、活字と同じ内容の点字版の母子健康手帳が無料配布されます。

これは全国どの地域でも同じです（1994〔平成６〕年に厚労省が通知)。

この発行元は、一般社団法人日本家族計画協会です。

日本家族計画協会では、この他にも、音声で文字を読み上げる「マルチメディアデイジー版母子健康手帳」や、日本語がわからない方にも内容がわかる「６か国語版 母子健康手帳」なども取り扱っています。

役所の窓口が、「点字版 母子手帳」があり、それを無料で配布していることを知らない場合があります。

私たちが説明してぜひ配布を受けましょう。

「点字版 母子健康手帳」や「マルチメディアデイジー版 母子健康手帳」は妊娠、出産、育児について知るための大切な情報源です。

活字の母子健康手帳には、子どもの発達の目安になることや好きな遊びなどを記入できるようになっていて、成長の記録として活用できます。

「点字版母子健康手帳」の詳細は、一般社団法人日本家族計画協会へ。

TEL：03-3269-4727

ぜひ活用してください。

◎「母子健康手帳」追加情報

母子健康手帳のマルチメディアデイジー版がサピエ図書館にアップされました！

これをテキストデータに変換すると、パソコンなどで入力ができて便利です。

各都道府県の点字図書館にも、厚生労働省委託図書で配布されています。

【お役立ち情報】

障害年金窓口にも出産報告を

年金制度には、老齢年金・遺族年金以外に、障害年金制度があります。

障害年金は、障害基礎年金と障害厚生年金の２種類あり、初診日で加入している年金保険の種類により異なります。

障害基礎年金は、20歳未満で国民年金への加入義務がない、あるいは国民年金加入中に初診日があることが条件となります。

障害厚生年金は、厚生年金保険加入中に初診日があることが条件です。

障害基礎年金は2020年現在２級で、月約65,100円で、重度の１級では月約81,400 円です。

また、18歳まで（障害のある子は20歳まで）の子の加算もあり、１子目と２子目は約18,700 円、３子目以降は6,250円の加算があります。

障害厚生年金の金額は、加入中に納めた年金保険料の金額により異なりますが、１年間のみ加入していた方も20年間加入した方も25年加入したものとみなして金額を計算します。

また、障害厚生年金には配偶者（65歳未満）の加給年金があり、2020年現在、月18,700円程度あります。年金の請求は資料をそろえて年金事務所で行います。

なお、子の加算対象者は、児童扶養手当も申請できる場合があります。

もともと離婚などの理由により配偶者のいない家庭に子育ての保障としてできた手当ですが、父または母が重度の障害（身体障害等級１，２級程度）の状態にある場合も対象となります。

その場合、満額が、１子目で月43,160円、２子目が10,190円、３子目が6,110円です。

手当には一定の所得制限があり、所得金額によっては減額される場合があります。

障害基礎年金の子の加算と児童扶養手当の両方が受給対象となる場合は、子の加算が優先され児童扶養手当の金額が子の加算の金額を上回る場合はその差額が年金対象者ではなくその配偶者に支給されます。

※従来、障害基礎年金を受給しているシングルマザー・シングルファザーの場合は、子の加算部分を含む障害基礎年金全体の月額と児童扶養手当の月額を比較していたため、児童扶養手当は支給されませんでした。

しかし児童扶養手当法が改正され、2021年３月からは、障害基礎年金の子の加算部分の月額が児童扶養手当の月額より低い場合には、差額分を児童扶養手当として受給できるようになりました。

児童扶養手当は申請の翌月から対象となります。

手続きが遅れた場合、原則、さかのぼることはできません。

お子さんが誕生した場合は、役所へご相談ください。

妊娠から産後の心の状態

II 2 a マタニティーブルー（妊娠期の不安定な時期）

H・MさんからのML投稿に対して、5人のメンバーから自分の体験談やアドバイスの投稿がありました。

H・Mさんの場合………

私は目がまったく見えず、現在２人目を妊娠し11週目になります。

つわりと脳貧血の症状が強く出てましたが、最近食べる量も増え、動悸や息切れも減りました。少し体に余裕が出てきたからか、今は感情のコントロールができなくて涙が止まらず、相談というより、誰かに聞いてほしくて投稿しました。

体調が悪かったので、ほとんど寝たきりで過ごしていました。

上の２歳８カ月の娘が保育園から帰宅すると、近くに住む義母に頼ります。保育園の送迎も一人でおんぶしていたのをガイドヘルパーさんや義母に付き添ってもらって歩いていました。もともと、私は、人に頼るのが苦手で、自分で自由にやりたい性格のため、それがとてもストレスになっています。

少し調子がよかった日に娘と遊ぼうとしたら、娘に「ベネッセの『チャレンジ』をやりたい」と言われ、やはり目が見えている義母のほうが、適切な子どもの相手ができてしまうので、私は見ているだけでした。

本当は『チャレンジ』を受講させたくなかった。塗り絵やシールブックも私が一緒にできないからあまり買いたくなかった。そんな感情を抱きました。娘はどれも喜んでやっていて、受講したのも、買ってもらえたのもよかったはずなのに。工夫すれば視覚障害があるママでも、ある程度一緒に遊べるはずなのに、断れなかったことを後悔して、義母をねたんでしまいました。

そんな自分が本当に情けなく悔しくて、今まで頼りっぱなしだったくせに、自分の調子が回復してきたからと、「もう夕方は来ないでほしい」と思う自己中心的な自分が嫌になりました。

本当は娘と２人で歩きたいけど、車も自転車も歩行者も多い細い裏道のため、命を守るには誰かに頼らなければいけない。幸いにも特定のガイドさんも来ていただけて、人にぶつかりません。そんな恵まれた環境でも頼りたくないと思ってしまう。ガイドさんが来れないとき、義母に頼むのはもっとストレスだと感じているのに、目の見える夫に頼るのはまったく抵抗がありません。でも家族以外だと、どうしてこんなふうに考えてしまうのでしょう。頼る人がいない人が聞いたら、それこそ、ふざけるな！ですよね。ごめんなさい。

義母だって本当にいい人なんです。よっぽど私のほうが扱いにくい嫁なんです。

これから２人目が産まれたら、もっといろんな人に頼らなければ生きていけないのに。都合のいいときだけ感謝して、都合の悪いときは嫌に思ってしまう。本当に最低です。こんな気持ちで私は２人の母になれるのでしょうか。見えなくなってしまったことが、改めて苦しいです。悔しいです。叶うはずはないけれど、視力を取り戻したい。見えている人だって周囲に頼りながら子育てしていることはわかるのに、でも見える人がうらやましい。

仲間たちから、H・Mさんを励ます投稿がありました。

Aさんから………

私のところは20歳の娘と17歳の息子がいて、主人と姑さんと同居の５人家族です。私は、少し視力があります。主人は、まったく視力がありません。

子どもたちが幼いときは、舅さんと義理の弟も同居していました。

何時に母乳を飲ませて、何時にはお昼寝させてと考えていても、私の思い通りにはいきませんでした。

娘が絵を描いたり塗り絵をしたりするときは、舅さんに見てもらい、自分ができないことが悲しかったです。

保育園の送り迎えも、最初は舅さんや姑さんと一緒に私も通い、準備の仕方など教わりました。舅さんは「子育ては、教科書通りにはいかないんだよ。その時その時の絵を描いていけばいいんだよ」と、言ってくれました。

姑さんには「かわいくなったほうがいいわよ」と言われ、その後いろんなこともあり、少しずつ「お願いしますよ」と言えるようになりました。姑さんもそのほうがうれしいようで、機嫌もいいです。

お互い人間ですから、時にはけんかもします。姑さんは長く生きている分、子育ての先輩でもあり、味方になってもらえ、いろんなことを教えてもらえて「私は得かな」と考えるようになりました。

H・Mさんも２人目が産まれたら、上の娘さんに気を配ってあげてください。みんな赤ちゃんのほうに気持ちがいくので。姑さんは、きっと歩み寄ってくれるのを待っていると思います。焦らず、ゆっくりと。

Bさんから………

「私も目が見えない中での子育てで、同じように苦しんでいたことがあったな」、そして、「私はその気持ちを誰にも言えずにいたのに、H・Mさんはこうして気持ちを打ち明けられて強い心の持ち主だな」と思います。

今、ちょうど感情のコントロールが難しい時期にあること、義理のお母さんはいい人で何も悪くないのに妬んでしまったこと、子どもが喜んでいるのだからそれでいいとわかっているけど、自分が一緒に工夫して遊びたかったこと、こんなことを思ってしまう自分はわがままであると思うこと。本当は、全部よくわかっている。わかっているからこそ自分を責めて、苦しいのではないですか？

私の場合は、同居していた実母に対していつも嫉妬や苛立ちを感じていました。わが子に絵本を読んであげたい、お絵描きを一緒にしたい、私がしてあげたくてしてあげられないことを母は簡単に、そして楽しそうにしてあげていました。

今、子どもたちが小学生になり、上の子は得意な絵をあちこちで飾ってもらえるようになりました。下の子は漢字が上手に書けるようになったそうです。

ちょっと思い出して涙が出てしまいそうですけど、私がなんにも教えていないのに一通りのことができるのは目の見える主人や家族、周りの人のおかげだと思います。今になって、やっと感謝できます。

でも、当時は感謝なんて絶対できませんでした。だって、感謝したくてもどうやったら感謝の気持ちがわくかわからなかったし、ひたすら自分を責めるのみでした。

H・Mさんは、既にいろいろ考えて、ただ思うようにいかなくて苦しんでいるだけなので、どうかこれ以上自分を責めないであげてください。あせらなくてもちゃんとうまくいくと思います。

Cさんから………

　この時期は、体調も日々変化するし、心の状態も不安定になりがちです。でも、だいじょうぶ。ちゃんとすてきな２人のママになれますよ。

　だって、不安に思っているのは、お子さんたちが大好きだからです。だから、おばあちゃんのほうが好きなんじゃないかとか目が見えないから子どもに不自由な思いをさせてるんじゃないかと、考えちゃうんですよね。目が見えない私もそんな時期がありました。

　息子が赤ちゃんの頃、だんなの実家に連れていったときのこと、息子が、空腹なのかオムツ汚れなのかただ泣いているのを聞いて義母が「泣いてる泣いてる」と言っただけなのに、私は「見えないから、ちゃんとオムツも替えてやれないと思われてるんじゃないか」とまで思ってしまいました。また、身重の私は家で留守番をし、だんなと息子がだんなの実家に遊びに行って、だんなだけが帰ってきて、だんなが「息子は、ばあちゃんとこで泊まると言ったから、置いてきた」と言われたときは「なんで私に一言言わなかったのか」と激怒してしまいました。預かってもらえば楽なのにね。

　でも、今はわかります。子どもは何と言ってもママが一番好きです。耳が聞こえないママでも、目が見えないママでも、虐待するママでも、子どもはママに抱っこしてもらいたいと思っているんですよ。Ｈ・Ｍさんのお子さんが、ママよりおばあちゃんやヘルパーさんが好きな訳がありません。

私も誰かに頼るのはあまり好きではないので、H・Mさんの気持ちはよくわかります。でも2人目が生まれると、そうも言っていられなくなります。「頼めるものは頼んだほうが楽かも」って思えるようになります。

子どもが求めているのは、ママの視力ではありません。自分を思ってくれる愛情です。H・Mさんもおばあちゃんにもヘルパーさんにも負けないはずです。

お子さんに今すぐ理解してもらえなくても、いつかきっとわかってもらえます。だからあまり考え込まず、体調を整えてください。ママの元気な笑い声が子どもは大好きだから。

Dさんから………

私のママ友に、目がまったく見えない母親に育てられた人がいます。

ママ友は言語聴覚士として働き、子どもが熱を出したときや保護者会などで子どもに留守番させるときには、目がまったく見えない母親に預けていたようです。

「母に任せておけば安心だから」と言っていたので、私もママ友の母親が私と同じ盲導犬利用者の先輩だと、最初は気づきませんでした。

ママ友は幼い頃から母親と色粘土でままごと遊びをしたり、楽しく遊んでいたと言います。

ママ友も当時おばあちゃんと遊ぶこともあったようですが、母親はいっぱいおしゃべりしてくれて、塗り絵をしていたら、「What color is this?」などと言いながら英語も教えてくれたと、楽しそうに話していました。今、ママ友が言葉を扱う仕事をしているのも母親の影響だそうです。

ママ友の母親に言わせると、ママ友を育てていた頃には今のような制度も、便利なアイテムもなく、かなり葛藤もあったようです。

Eさんの場合………

２歳の孫がいる友人が、「孫はかわいい」としみじみ言っていました。

Ｈ・Ｍさん、嫁のためじゃなく、かわいい孫のためにやってくれていると思えるときが来ますよ。

みんなの励ましを受けたＨ・Ｍさんから投稿

本当にたくさんの方からメッセージをいただけて、感謝の気持ちでいっぱいです。

それと同時に共感してくださる方が想像以上にいらっしゃって驚きと共に安心しました。

今は思いを投稿させていただいたときより、だいぶ気持ちが楽になりました。素直に自分の感情を表に出して号泣したり、人に聞いてもらって共感してもらったり、自分に正直にありのままを出すこともやっていいことというか、大切なことなんだなぁと感じました。

今日は保育園のお友だちとコンサートを観に行き、午後はそのお友だちのお家でクッキーを作って楽しんできます。

(2017年のＭＬ投稿)

Ⅱ②-ⓑ 妊娠・出産の思い出

妊娠出産の思い出　……東京都　Y・O

わが家は少し視力のある主人、息子（２歳)、まったく視力がない私の３人暮らしです。

主人も私も子どもが大好きで、結婚してからずっと、子どもがほしい、早く授からないかなと思っていました。結婚して２年、赤ちゃんを授かったとわかったときは本当に２人で大喜び！

私は妊娠中も仕事をフルで続けていたので、少し大変なこともありました。通勤は片道１時間満員電車だったので、毎日「ママと一緒に頑張ろうね！」とお腹の赤ちゃんに話しかけていました。

お休みの日は、お弁当を持って大きな公園においしい空気を吸いに行ったり、赤ちゃんの物を見たり買ったり、赤ちゃんが生まれてからだとなかなか行けなくなるカラオケや映画、ちょっぴりおしゃれなカフェなどに行きました。

風邪で高熱が出た以外は悪阻（つわり）も軽く、元気なマタニティーライフを過ごしました。８月の出産で、この年の夏も猛暑が続く暑い夏だったので、とにかく臨月は「暑いー暑いー」と言っていたと思います。妊婦は暑いと聞いていましたが、こんなに暑いとは思いませんでした。冷蔵庫の前を通る度、氷を口に入れてしまいました。

39週の検診のときに赤ちゃんの心拍が１度モニターの波形で乱れて、「臍の緒が首にひっかかったんだろう」と言われ、念のために入院。

その後は一度も乱れはなく、「落ちついたようなら退院して自宅で陣痛待とうか」と言われた矢先に病院で陣痛が始まりました。

私はすごく痛みに弱いので、痛いなーと感じても陣痛はものすごく痛いんだから違ったら恥ずかしいと思い我慢。しかし、どんどん痛くなり、主人に「痛いなら助産師さんに言ったほうがいいよー」と言われて「違ったらー、どうしようか」と言っていたら、助産師さんがお腹につけていたモニターの波形を別室で見てあわてて来てくれて「Oさん痛くない？　陣痛きてるよ」と言われ、「痛いですー」と言い、分娩室へ。そこからは痛みマックスで主人の立ち会いのもと２人で頑張りました。陣痛との戦いは本当に痛く苦しくて、様子を見に来た先生に「そんなに痛い？」と言われるぐらい。本格的な陣痛がきてから５時間で生まれたので安産でした。

産んでいるときは痛くて「もう二度と産めない」とすごく思ったことを鮮明に覚えていますが、赤ちゃんが生まれて１日、２日たつと、また産みたい、兄弟作ってあげたいと思えるようになり、自分でもびっくりでした。

初めての出産・育児は不安や悩み、大変なことがたくさんありました。これからもたくさんの壁があると思います。でも心からこの子に出会えてよかった！　この子のママになれてよかった！　と思います。

(2013年２月発行の新聞より抜粋)

当たり前は奇跡　……東京都　A・O

私たちは、まったく目が見えない夫婦です。私は里帰り出産でした。

実家では両親と兄家族が同居しています。みんなに助けてもらって賑やかに楽しく過ごしていました。

長女のKは、一昨年、東日本大震災の４日後、計画停電の中で生まれました。そして昨年、長男Hが生まれました。

私は母乳への憧れが強く、長女のときにうまくいかなかったので今度こそはと必死でした。１カ月くらいのとき、長男がおっぱいを嫌がりはじめました。家族からは長男の体重が増えていないと言われたり、（母乳はお休みして）ミルク一本にするように言われたりでいろいろと悩みました。そして長女が私のところに来なくなりました。

この先、東京に戻ったら家事・育児、いろいろやることは満載です。母乳とミルクを続けていけるのか。長女にはどんなふうに接していけばよいのか。両親からは「あんた、ふらふらしてお化けみたいだよ。KやHの前では笑顔で元気にしていなさい」と言われますが、どうしてよいのかわかりません。食べられないし、眠れないし、笑えない。何も考えられないし、うまく話せない。子どもたちのことが怖くて仕方ない。触れることもあやすこともできない。家出したい。死んでしまいたいと思いました。

なんとか元気になりたくて病院に行きました。病院では極めてひどい産後うつと言われ、薬の服用と休養を指示されました。翌月から仕事を再開する予定でしたが、家族会議の結果、キャンセルすることになり、うまく話せない私に代わって、主人が仕事先に謝罪の電話をしてくれました。

私はお医者さんに聞いてみました。「薬と、休養以外に私ができることはありますか？」。お医者さんの答えは、「自分を盛り上げないことですね。何かをしよう、がんばろうとしてうまくいかなかったときに余計に沈んでしまいますから、水の上を漂う木の葉のように、ただ、時に身を任せて過ごしてください。そうすれば、やがて浮いてきて岸にたどり着きますから」でした。

産後うつを受け入れていなかったのは、私自身でした。元気になるためだと自分に言い聞かせ、やりたいように過ごしました。そうこうしているうちに物事への意欲が湧いてきました。そして今までを振り返ることができました。妻になり、母になったこの２年、ずっと走り続けてきました。そんな自分をまず労(ねぎら)い、そしてこうなる前にもっと自分の気持ちや意思を周りに伝えて行動すればよかったと後悔と反省もしました。いつもサポートしてくれる実家の家族に、そして私を家族にしてくれた主人と子どもたちへ感謝の気持ちが溢れました。

あれから数カ月……。薬は飲んでいません。東京で生活をしています。子どもたちも可愛いです。毎日よく食べ、よく寝て、よく笑い、実家の母に助けてもらいながら慌しいですが、充実した日々を送らせてもらっています。ついそれが当たり前と思ってしまいますが、そうではなく、毎日が、一瞬が尊く幸せなのだと感じます。

子育ては始まったばかり……。これから大変なことはいっぱいあると思います。でも無理せずみんなに助けてもらいながら、親として、一人の人間として少しずつ成長できたらと思っています。

（2013年２月発行の新聞より抜粋）

Ⅱ③ 家族水入らずで暮らしたい

Nさんからへ「双子が生まれました」とうれしい投稿があり、喜びもつかの間、「家族水入らずで暮らせない」と投稿があり、これに対し、MLに3人のメンバーからアドバイスがありました。その後、Nさんご家族の様子を相談員がお聞きしてまとめました。

Nさんは、××県で生まれ、親から虐待を受けて目が見えなくなり、児童養護施設で育ちました。目の見えないご主人と出会い、結婚し、ご主人の勤務先に近い△△県○○市で暮らしはじめました。双子を△△県にある病院で出産しました。退院する前にドクターから、同居する家族がなくて、双子ということもあり、親子4人だけの生活に許可が出ませんでした。それを受けて、退院後そのままご主人のお母さんと妹夫妻のいる□□県の実家に里帰りをして、ご主人は育休を取らせてもらいました。でも、手伝ってくださるお姑さんはお仕事をされていて、いつもNさんのそばにいてもらえるわけではありませんでした。常にNさんは孤独感を感じながら慣れない育児で自信をなくし、ご主人も育児疲れで離婚の話にまでなりました。

追い詰められたNさんは、子どもの世話をする気力もなくなってしまい、一時的に育児放棄と言われる状態でした。

この頃、ご主人は、実母と嫁の板挟みになり、○○市にある自分たちの住まいへ帰ることを考え、○○市役所へ連絡しました。すると児童相談所から訪問があり、このままの親子4人だけの状態では、私たちが子どもを連れて行くことになりますと言われました。

それでも、Nさん夫婦は、訪問看護師さんやヘルパーさんを利用して、いろいろ相談しながら育児を続けていました。

子どもたちが6カ月になる頃、Nさん夫婦は子どもを保育園に入れたいと思いました。住民票が○○市にあることもあって、再度○○市に帰りたいと考えました。

そこで、○○市のケアマネジャーさんを通して相談し、ヘルパー会議を開いてもらいました。

頼りにしていたその会議でしたが、「昼間は保育園を利用できるが、夜は見えない夫婦だけでは子育ては難しい」と言われてしまいました。Nさん夫婦は、子どもを産む前から、「出産したら○○市に帰りたい」と言っていたにもかかわらず、いざ帰るということになったら、○○市の担当者に「子育て支援の資格がある事業所が○○市にはない」と言われ、ヘルパー支援を受けられないということになってしまいました。また、児童相談所には、「ベビーシッターを利用するということであれば、Nさん家族4人での生活を認める」とそんなふうに言われました。

Aさんから………

アドバイスが２つあります。

１つ目は、毅然とした態度で関係者と接すること。些細な仕草からも伝わるものは大きいものです。言葉でいくら「見えなくてもできる」と説明しても、伝わるものは少ないけれど、一つひとつの動作を丁寧にすることで、「なあんだ。見えないって心配したけど、できる人じゃん！」と思わせることができます。

そして２つ目が、最高の笑顔を意識すること。作り笑いでいいんです。強引に笑顔を作ることでお堅い福祉関係者や、親戚などに与える印象は、魔法をかけたように柔らかなものに変わります。

「そんなこと、今の状況では無理！」と思うのか、「とりあえず自分を変えてみよう」と思うかは、Ｎさん次第かなって思います。

とにかくまずは落ち着いて、今、母親としてしなければならない２つのことだけを考えてください。社会や障害のせいだと思わないようにね♪

Bさんから………

もし、夜の食事をあげる際と、お風呂の時間だけ誰かのヘルプが必要ならば、保育園から帰宅後の30分または１時間、ホームヘルパーさんを頼む方法などがあるかと思います。

障害者の自立支援法の一環で、特に障害者だけの世帯には居宅介護サービスのサービス受給ができる場合があります。公費でサービスを利用するには、役所の障害支援課（障害者手帳を交付する窓口など）で、サービス受給の手続きと認定をしてもらう必要があります。スケジュールを相談し、月の時間数を計算し、サービス受給が決定すれば、収入にもよりますが、サービス利用料のある程度を公費負担してもらえます。

具体的にどういうところを手伝ってもらえそうかを相談するには、障害支援課ではなく、児童家庭課の助産師さんなどがいいと思います。助産師さんは、健康な親でも、子育ての相談ごとを受けるために役所に配置されていますので、新米の親であればだれでもふだん困っていることを相談できる立場です。

実際にヘルパーさんを派遣して、お手伝いをしてくれるのは「事業所」と呼ばれる介護ヘルパーの事務所やNPOです。例えば毎日もしくは１日おきに30分や１時間ずつ、家で子育て支援サービスを利用したいと事業所に直接電話で聞いてみるといいと思います。地域にどんな事業所があるかは、障害支援課で教えてもらえます。子育て支援のサービスを提供してくれる事業所は、たいてい「産後ヘルパー」の派遣もやっているので、児童家庭課に聞いてもわかると思います。ちなみに障害者とは直接関係ない産後ヘルパーの制度ですが、体調が悪いなどで産後に子どもの面倒を見るのにヘルプが必要な場合は、生まれてから４カ月だったか、一部公費負担で子育て支援サービスを一定時間数、利用できることになっているようです。

子育て支援サービスは慣れていても、障害者はよくわからないということで事業所も戸惑いがある可能性もあるかと思いますが、こちらから○○はできる。××は難しい。△△はこういう工夫をしてもらえればできるとなるべく伝えるようにすると、お互いに安心かと思います。そのうちに相手も慣れてくるので、最初は特にたくさんコミュニケーションをとることが大切かもしれません。

役所の障害支援課にサービス受給の申請をするにあたり、調査とサービス内容の相談が必要です。ひとつポイントなのは、サービス受給を可能にする障害者の自立支援法に明記されていたかどうか覚えていないのですが、サービス受給が該当する作業として、「オムツ替え」「沐浴」「授乳」「食事を与える」「危険の回避」というような項目があったかと思います。つまり、これらがヘルパーさんが必要な理由として、役所に対しては理解を求めやすいということです。

「離乳食を与える際、親も子どももうまくなるまではかなり散らかるので、片づけをするのに目が必要なのでヘルパーさんの力を借りたい」

「食器が割れたりした際、片づけを手伝ってもらう必要がある。ふだんは割れない食器を使用しているのでだいじょうぶだが、○○(特定の場合に使う、何か割れるもの)のときは、念のため誰かの目を借りたい」

「沐浴の際、子どもに発疹やオムツかぶれがないかなどを確認してもらいながら、2人のお風呂を手伝ってもらう必要がある」

「家の中でものを落とした際、子どもが間違って拾ったり、口に入れてしまわないよう、一緒に探してもらえると助かる」(ヘルパーさんの時間以外に起きた場合は、想定されるエリアや部屋を隔離するなどで対応しておく)

「洗濯物のシミなどを確認したり、シミ落としを手伝ってもらいたい」

「体調が心配なときには、便の写真を撮っておくので、ヘルパーさんに確認してもらえると、医者に行く前に安心」

・児童家庭課（多分ここに保育園も申し込む）に頼れる助産師さんや保健師さんがいるかどうか探る。
・障害支援課にサービス受給の相談をして、認定を受ける
・子育て支援の事業所にヘルパー派遣が可能か相談する。役所がやってくれる場合もあるが、選択肢がある場合もあるし、雰囲気もわかるので自分で問い合わせてみると情報として有用かも。

特にサービス受給の相談で、なんでも「できます！」と無理して言ってしまい、「サービスはいらないだろう」と思われてしまっては困りますし、なんでも「できません……」と言ってしまっては、「子どもが育てられるのか？」とむやみに心配されても困りますし。大変なときは、自分でも混乱しがちですが、自分は見えなくてもできることがたくさんあると念頭において、落ち着いて、考えられるといいですよね。

Cさんから……

子育て支援について理解のない支援コーディネーターが、時にはいて、「親子のひき離しマネジメント」をしてしまう場合もあります。このような場合、親が子どもと引き離されたストレスにより、アルコール中毒になるケースもあり、子どもと親双方にとっても悪影響があります。

「親子一緒にいる中で、必要な内容を補助し、そして親に余裕を与えることこそ、長続きのもとだ」と講演しておられる専門家もいます。

Nさんの投稿後

その後、Nさん夫妻はお姑さんたちの手伝いも受けながら引っ越しを済ませ、ヘルパーさんの手配、民生委員さんとの連絡も取り、○○市で自宅のアパートでの暮らしを始めました。

しかし、児童相談所の訪問を何度も受けました。そして、視覚的サポートをいつでも受けられるようにモニターを□□県のお姑さんとつなぐこと、子どもの世話を自分たちが責任をもってするために援助してくれる事業所を毎日数時間利用することを条件につけられました。

その後、子育て支援の資格を取得する事業所が現れ、サポート体制も増え、○○市での暮らしを児童相談所に認めてもらいました。

笑顔で穏やかに過ごしている子どもを見て、「2人とも幸せに育っていて安心しました」と児童相談所の人が言い、モニターの設置はしなくてもすみました。

こうして、親子水入らずで暮らしています。

（2016年　相談員に寄せられたお話）

かるがも家族のベストショット❷

かるがもの会会員のMさんから家族のベストショット写真を
ご提供いただきました。

函館で、人力車に乗って家族でハイポーズ

第
III
章

乳幼児の頃に

この章では、新生児のお世話の仕方の中で、
視力のない私たちがいろいろな場面で、
工夫していることを取り上げました。
また、視覚障害児の育て方についても
取り上げました。

赤ちゃんのケア

Ⅲ 1 a 授乳

赤ちゃんが生まれて、ママとして最初にしてあげられることは「授乳」です。

特に母乳での授乳は、母親にだけ与えられた特権です。最初は母乳の出が悪くて、不安も付き物です。

２人目以降や帝王切開の場合でも、最初の３日間は後陣痛(こうじんつう)で、腹痛も伴い、授乳のたびに、辛い時間もあります。

見えにくいママには、赤ちゃんの口が探せず、うまく乳首を咥えさせられないイライラからマタニティーブルーになるケースもあります。赤ちゃんを触る時は、ママは自分の手を軽く握りながら手の甲で、赤ちゃんの体を確認して、指を広げると赤ちゃんの目に母の指が当たることも防げます。

両手がフリーになる授乳方法

この方法は、両手が使えるので、片手は赤ちゃんの口を、もう一方の手で乳首を持って赤ちゃんの口にくわえさせることができます。

①ママはテーブルが左にくるようにテーブルに平行に座る。

②テーブルに向かって、赤ちゃんの頭が左に来るように寝かせる。

③赤ちゃんの左腕を巻き込まないように注意しながら「左側の乳首」をくわえさせる。

④左右の乳を入れ替える時は、まず、赤ちゃんの頭と足の位置を変えます。そして、ママも反対向きになります。

テーブルにぺちゃんこの枕やバスタオルを敷いておくと、赤ちゃんの向きを替えるときの負担が軽くなります。

ポイント　ママがテーブルに対して平行に座って乳首をくわえさせたとき、ママの背中が伸びるようにクッション（座布団）を背中と椅子の間に入れて調節する。背もたれの角度を調整できる座椅子でもよい。

（会員のブログ記事より）

Ⅲ-1-b　ミルクの作り方と飲ませ方

①赤ちゃんにぐずられて慌てないよう、時間のあるときに粉ミルクの分量を量っておく。

②沸騰後60度に保温したお湯を「ワンプッシュで10cc出るボトル」に注ぐ。

③補乳瓶に10ccだけお湯を注ぎ、指定分量の粉ミルクを入れ、補乳瓶を縦にシェイクする。（吸い口には穴が開いているので中身が飛び出さないように注意する）

④指定量まで残りのお湯をひと押しずつゆっくり「一押し10ccボトル」で注ぎ、しっかり蓋を閉めて縦にシェイクする。

⑤手の甲に少し垂らして40度（人肌）くらいになるまでミルクを冷ます。

⑥ミルクをこぼしたり、吐いた時のために、赤ちゃんをタオルの上

に寝かせて、「あーん、パク」などと声かけをしながら吸い口をくわえさせる。

⑦補乳瓶によっては飲んでいるうちに、真空になるため吸い口がつぶれて飲めなくなることがあるので、ときどきゴム部分をめくり、空気を入れてあげる必要があります。

⑧ミルクを飲んでいるとき、音がチューチューからズーズーという音に変わったらミルクが終わったサイン。ミルクが残っているか、わからなかったら、哺乳瓶を立てて、振ってみてチャポチャポ音がしたら残っているし、音がしなかったら泡くらいしか残っていません。

音で確認してみましょう。ミルクがたくさん残って量を確認したい場合は、「音声計り」を利用してみましょう。

注意事項：

＊粉ミルクをミネラルウォーターで溶かすと「ミネラル過多」となり、赤ちゃんの腎臓への負担や消化不良などを生じる可能性があります。赤ちゃんのための水が販売されていますので、硬水は避けましょう。

＊粉ミルクは牛乳や脱脂粉乳ではありません。これらのもので代用するとアナフィラキシーショックを起こす危険があります。

月齢に従い、フォローアップミルクへと進めていきましょう。

＊粉ミルクは栄養価が高いため、必ず指定の間隔を開けましょう。

赤ちゃんがぐずるからとたくさん与え過ぎては肥満の原因になります。

＊粉ミルクは栄養価が高い分、雑菌の繁殖率が高くなります。お湯

に溶かした状態で持ち歩くことは危険です。必ず乾燥させた状態で密閉容器に入れて持ち歩きましょう（お湯はステンレスボトルなどで保温して持っていきます)。

（会員のブログ記事より）

Ⅲ①ⓒ 離乳食を始めました

M・Kさんが離乳食を始めて感じたことをMLに投稿しました。多くのメンバーから離乳食のアイディアや便利グッズの情報が寄せられました

夫婦そろって目がまったく見えないM・Kです。５か月半の娘に、少しずつ離乳食を食べさせてあげられるようになりました。保育園で配布された離乳食チェック表を少しでも埋めていけるように、今から毎日いろんな物を少しずつあげています。娘は、お粥とさつまいもとカボチャは大好き！ 人参と大根とパン粥は微妙という感じです。

それがわかったのは、見える人が一緒にいるときに静かに吐き出しているのを見てもらったり、「オエッ」というような表情の顔をしていることを教えてもらったからなんです。一度口に入れ、静かに吐き出しているので、私には吐き出したか区別がつきませんでした。まだ液体のようにやわらかいタイプをあげているので、エプロンにこぼれている物を触ってもあまりわからないんです。スプーンを押し出してくれたりすればわかるのですが、一度モグモグ味わっているみたいで、食べさせたら飲み込むまでは口を触っていたほうがいいのかもしれませんね。

アレルギーは怖いです。親の私たちがアレルギーを持っていないので娘もだいじょうぶかなと思っていますが、検査してもらえるなら、近くでできるのか、ちょっと調べてみます。卵や果物も怖いです。

みなさんからの情報を以下にまとめました。

・口当たりやさしいスプーンのミニサイズはとても食べさせやすいです。

・作った離乳食や市販の離乳食を小分けにするには、ジップロックの小さな袋に入れて凍らせ、必要な分だけパキッと割って使っていくやり方があります。

・リッチェルの「わけわけフリージング」を使えば便利です。

・小分けの袋であれば、袋の上に点字を貼り付けたり、目印になるシールを貼り付けておけば、どの袋がカボチャで、どの袋がさつま芋かなんかがわかりやすくなります。

・ジップロックの小分けの袋は、食品用と非食品用があるので注意しましょう。

・ごはんを炊く際、人参など硬めの野菜をアルミホイルに包んで一緒に炊飯器の中に入れてしまえば、やわらかい温野菜ができて、離乳食用に調理しやすいです。

・和光堂の「とろみエール」などでとろみを付けると食べさせやすくなります。

「とろみエール」（2.5g×30本入り）

・離乳食に便利な野菜のペーストタイプや、ピューレタイプ、フレークタイプなど、生協で手に入ります。
・お粥はコンビニやドラッグストアで、大人用のお粥を買ってストックしておいても便利です。
・ハンディーブレンダー、バーミックス、スープメーカーなどの家電製品を使えばさらに便利です。

（2019年のＭＬ投稿）

Ⅲ-1-d おむつの交換

おむつ交換は、私にとって汚れを広げてしまわないかと不安な行為の一つです。

私は全体を必ず隅から隅まで皺の中も丁寧に拭くように、いつもこころがけています。

なるべく手を汚さないやり方を工夫して、紙おむつをつかっています。おしりを拭くときは、「おしり拭き」をじゃんじゃん使いましょう。

おむつをしている位置を指で確認して、拭く場所と順番を決めて、前側の足のしわの中も丁寧に拭いていきましょう。汚れを拭き取ったおしり「お尻り拭き」は、よごれている紙おむつの中に捨てます。

おむつで隠れている部分にウンチが付いていると想像し、その範囲で、外側から肛門の後ろまで拭きましょう。

汚れを広げないように汚れがないところから、汚れているほうへ向かって、それぞれの方向から肛門の少し後ろに向かって隙間なく拭く感じです。

拭き方の順序

おむつを外す前に、きれいなおむつを赤ちゃんの横に広げて並べておきます。別図（p83 ～ p84）も参考にしてください。

①まず、図１のようにお腹側（前側）を拭きます。赤ちゃんは、足をＶ字に広げ、お尻はベットについた状態です。

真ん中を拭くときは、上から下へ、必ず肛門の菌が尿道や膣に入らないように、お腹の下辺りから肛門へ向かって、肛門の後ろまで拭いていきます。

②次は、赤ちゃんの足の付け根のしわの部分を左右の外側から内側に向かって拭いていきます。

③次に、図２のように赤ちゃんのお尻側（後ろ側）を拭きます。片方の手で、赤ちゃんの両足の裏を付けてから、両足の甲を掴み、赤ちゃんのお腹の方へ押すとお尻が上がるので、後ろを拭きます。足を掴んでいない手でおしり拭きを持って、お尻を片側ずつ拭きます。

肛門の少し後ろを目指して、外側のほうから真後ろのほうまで、隙間を空けないで、少しずつずらしながら拭きます。お尻は丸いから拭き残すことが多いので、拭き残しがないようにします。反対側から同じように、お尻を拭きます。

④仕上げに、拭き残しがないように、もう一度真後ろのほうから肛門の少し後ろに向かって拭きます。

お尻を拭き終わったら汚れたおむつをそっとお母さんのほうにず

らしてはずします。

赤ちゃんの横に準備して置いてある新品のおむつをお尻の下に敷くように入れて赤ちゃんのお尻を下ろして、おむつを着けます。

※男の子の場合は、お玉を持ち上げて付け根の周囲もしっかり拭きます。女の子の場合は、赤ちゃんのおまたのひだの上におしりふきを置いて、お母さんの人差指の腹で優しく丁寧に縦に1・2度なでるようにして内側を拭きます。女の子は特に、足の付け根やシワの中にウンチがたまりやすいそうです。

そして、赤ちゃんは寝たままウンチをして、それがちょっと柔らかかったりすると、すぐに背中に近い部分や太ももの前の方まで流れてきます。

心配なときは、シャワーのぬるま湯で汚れを洗い流しましょう。

（会員のブログ記事より）

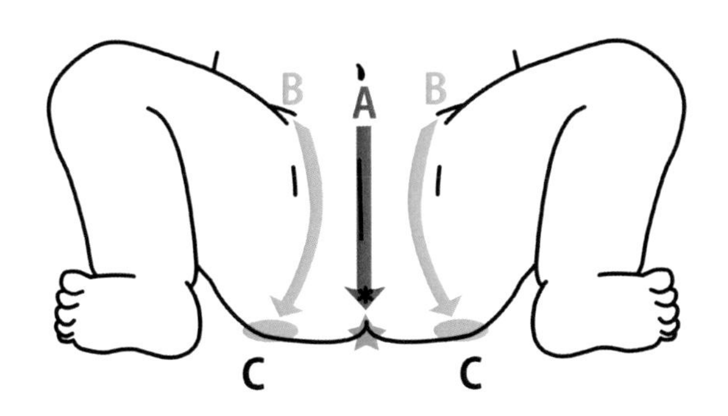

図1　お尻が布団についている図

図1は、お母さんのほうから見ていて、赤ちゃんの腰から下、膝くらいまでの絵です。

赤ちゃんは仰向けでおむつを外し、股をV字に開いた状態です。

おしりを拭く位置と順番がわかるように、矢印が描いてあります。

Ａから★に向かって矢印があります。

次に、ＢからＣに向かって矢印があります。

Ａ…おなかの下のポイント

★…肛門の少し後ろのポイント

Ｂ…股のしわ（Ｖ字ライン）の外端の左右のポイント

Ｃ…肛門の斜め後ろのポイント

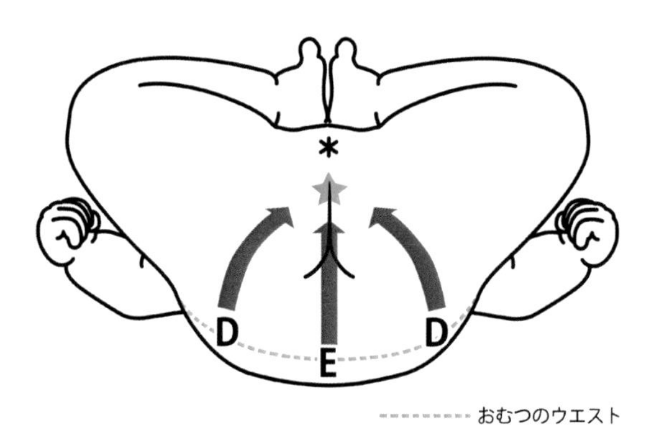

図２　お尻を浮かせている図

図２は、赤ちゃんは股関節と膝を曲げて、膝を開いて、足の左右の裏をくっつけています。

お母さんの左手で両足の甲を掴み、赤ちゃんのお腹のほうへ押しあげて、お尻の後ろの真後ろのお尻のしわが見えています。

Ｄから★に向かって矢印があります。

次に、Ｅから★まで矢印があります。

★…肛門の少し後ろのポイント

Ｄ…お尻の外側の左右のポイント

Ｅ…真後ろ（お尻のふくらみの真ん中）

Ⅲ-1-e わが家のトイレトレーニング

東京都　E・C………

夫婦ともに、私たちはまったく目が見えません。間もなくギャングエイジに突入の８歳と、まだまだ無邪気な４歳の２人の娘がおります。

トレーニングにあたり、おしっこシグナル的な表情やしぐさが私たちには見えないため、子どもには「おしっこ」と教えてほしかったのですが、長女はぜんぜん教えてくれませんでした。そこで、こちらで頻繁にオムツに触って、おしっこの間隔を把握するようにしました。

季節はあまり考えずに、ある程度のおしっこの間隔があいてきた２歳10カ月頃から、２人とも本格的に始めました。少し遅めの開始だったかもしれませんが。

結果的にはわりとスムーズにいったので、子どもたちにとって時期としてはよかったのかなと思っています。

まずは保育園帰宅後から入浴前までの短時間をパンツにしてみましたが、長女は最初の１週間は失敗が続きました。

でも、不思議なことに、10日ほどでほとんど失敗もなくなり、お昼寝もパンツでだいじょうぶになりました。

次女も同じような感じでしたが、保育園ではもう少し時間がかかりました。

ウンチのほうは、２人とも最初のうちは、おなかにうまく力が入れられず、トイレに座っても出ませんでした。

それでオムツに替えると出るという具合でしたが、これも１～２カ月もすると自然とできるようになりました。

夜のオムツは、起床時に濡れている回数が減ってきたところでパンツに移行していきました。体調が悪いとトイレに間に合わなかったり、たまにはおねしょもしましたが、２人とも半年ほどでほぼ落ち着いたように思います。

まだ不安が残る頃には、パンツで外出してもオムツを１枚持っていると、緊急時にトイレ代わりになって心強かったです。

トイレトレーニングのために揃えたのは、普通のパンツと補助便座だけでしたが、それも最初のうちにほんの少し使っただけだったので、別になくてもいいものなんだなと、あとで思いました。

結局、親ができるのはほんの少しの手伝いだけで、あとはみんな子どもたちの成長の賜物なんです。これはきっと子育て全般に言えることなのだろうと思います。

（2011年４月発行の新聞より抜粋）

Ⅲ-1-f 赤ちゃんの爪のケア

赤ちゃんが自分の爪で自分の顔をひっかいて傷つけたりしないようにケアをします。赤ちゃんの爪は薄くて柔らかいので、注意深く丁寧に扱いましょう。

赤ちゃんに不快感を与えないように、最初は「ソフトタイプのやすり」を選びましょう。

・囲碁に使われる碁石は、最も安全で綺麗に仕上がります。
　お母さんは左手で赤ちゃんの爪の根本をつまみ、右手でやすりまたは碁石を持って赤ちゃんの爪先や爪の角を削るように磨きます。逆なでしないよう注意。

・赤ちゃん用爪切りバサミを工夫して使うと、見えない私たちも綺麗に切れます。

①赤ちゃんバサミは、刃の中ほどが、爪の形に少し湾曲しているので、ふくらんでいるほうを上にして台の上に置きます。

②お母さんの左手で赤ちゃんの指を１本持ちます。赤ちゃんの爪がお母さんのほうを向いていて、指の腹は向こう側を向いています。

③お母さんの右手で台の上に置いていた赤ちゃん用の爪切りバサミを持ちます。

このとき、台に置いてあるハサミの上からお母さんの指を入れます。上になっている刃（下の指輪）に人差し指を入れて、下になっている刃（上の指輪）に親指を入れます。

赤ちゃん用の爪切りバサミの下の刃を赤ちゃんの指先に当てて、伸びている爪に引っかけるようにして止めます。下側の刃を動かさないように注意します。

④ゆっくり上になっている刃を閉じます。これで爪が切れます。

このとき必ず下の刃より外側だけを切ることになるので、指を切ってしまうことはありません。

あとはお母さんの指先で赤ちゃんの爪の伸びているところを確認し、伸びていれば赤ちゃん用爪切バサミの下の刃が爪に引っかかるので、上の刃を下ろして爪を切ればだいじょうぶです。

（会員のブログ記事より）

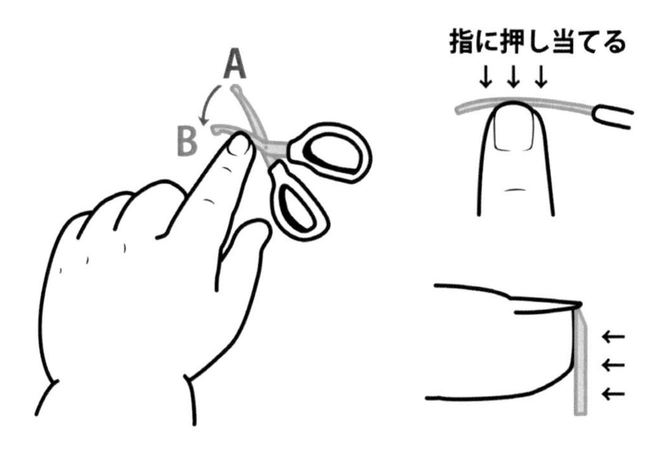

図3　爪切りの図

図３右上：赤ちゃんの左人差指の第１関節から先の絵です。

図３右下：ハサミの下の歯が赤ちゃんの爪に当たっています。

図３左：赤ちゃん用爪切りバサミを大きく開いています。

A……ハサミの上になっている刃。

B……ハサミの下になっている刃。

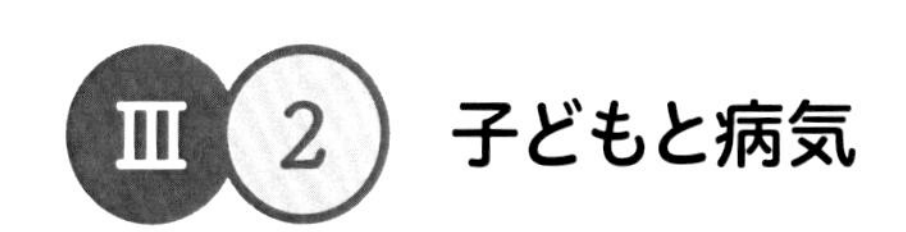

Ⅲ 2 子どもと病気

Ⅲ 2-a 病院受診の思い出

佐賀県　T・S……

私は、生まれつきまったく目が見えません。主人は視力がかなり弱く、仕事も忙しく、子どもの通院が頻繁だったので、私一人で通いました。わが家の娘は、小学5年生と幼稚園児（5歳）の2人です。

結婚する前、私は佐賀県の隣の長崎県に住んでいました。それまで、私にとって佐賀は福岡に遊びに行く途中の通過点でしかなく、まさか住むことになろうとは思ってもいませんでした。

上の娘が生まれて、これからお世話になる小児科を探さないといけないもののママ友はいないし、知り合いもそうは大勢いませんでしたので、まずは保健師さんにお聞きしました。おかげさまでよい小児科を紹介していただき、現在も診ていただいています。

娘が大きくなるにつれ、幼稚園やご近所などでママ友ができるようになると、評判のよい個人病院、その他育児や生活に役立ついろいろな情報が耳に入ってくるようになり、ずいぶん楽になりました。個人病院はどこも、以前に比べると、視覚障がい者への対応がよくなり、通院に伴うストレスは減ってきました。

しかし、総合病院は院内の構造が複雑で慣れるのに苦労しました。わが家は長女、次女ともに目に障がいがあり、赤ちゃんの頃から総合病院を受診しています。娘が大きくなると、私自身、院内の様子がわかってきますし、娘もある程度教えてくれるので、院内の移動にほとんど支障はなくなるのですが、赤ちゃんの頃の通院となると、それはそれは苦労しました。受診したい診療科の場所はわからないし、診察も会計も待ち時間が長く、半日ならまだいいほうで１日がかりということもしばしばでした。

人は多いし、赤ちゃんを抱えての移動は思うようにいかず、長い待ち時間に耐えかねて、ぐずるわが子をひたすらあやすというパターン。赤ちゃんをベビーカーに乗せて院内をゆっくり散歩したくても無理な話でした。長い待ち時間に娘が飽きないように、おやつや飲み物、絵本やお絵描き道具、おもちゃなどを用意して行きました。それでもいつ、グズって泣きはしないかと、周りの患者さんに気を遣いながらヒヤヒヤしたものです。

一度院内の移動のためにガイドヘルプをお願いしたことがありますが、予約が必要であり、急な通院にはなかなか対応できないとのことで利用していません。

10年間、子育てをしてきて、個人病院は元より、総合病院の視覚障がい者への対応も格差は結構ありますが、少しずつよくなってきているように思います。フロアマネージャーを配置している病院もだいぶ増えているようで、通院に伴うストレスは少なくなっていると思います。子どもの入院に視覚障がい者の親が付き添う場合、当時（2012年）の福祉サービスでは対応したものはなく、家族の協力によるところが大きいようです。

最後に、通院にせよ、入院にせよ、いろいろと苦労はありましたが、親身に話を聞いてくださった医師や看護師さん、温かい声かけをしていただいた患者さんやそのご家族との出合いが多くあり、乗り越えてこられたように思います。

（2012年11月発行の新聞より抜粋）

Ⅲ②ⓑ 具体的な薬の飲ませ方（粉薬・シロップ剤）

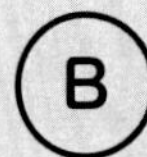

●粉薬の場合

粉薬は、ママの指で口の内に塗ります。

①ママは手を綺麗に洗う。

②薬を小皿に移す

③赤ちゃんに一度お母さんの指先をなめさせ、指先を湿らせる。指が唾液で濡れるので、粉薬が玉になりやすくなります。

④小皿の薬を赤ちゃんが舐めた指ですくって、赤ちゃんの上顎の内側に塗ります。

●シロップ剤の場合

シロップ剤を処方箋薬局でもらうときには、回数分の容器を持参して、１回分ずつ小分けしてもらうと目盛りが見えなくても安心です。（100円ショップで購入できる弁当用のソースや醤油を入れる容器が便利です）

［シロップ剤の飲ませ方］

①シロップ剤は哺乳瓶の吸い口を使って飲ませます。

②吸い口の先を赤ちゃんにくわえさせます。

③赤ちゃんがチューチューし始めたら、一回分のシロップ剤を注ぎます。

④赤ちゃんがしばらく吸って、空気を吸う音に変われば、飲み終わりのサインです。

（会員のブログ記事より）

Ⅲ②-ⓒ ベビーカーにチャレンジしました

ベビーカーには親子が対面になるＡ型と、親子共に進行方向を向くＢ型があります。どちらも親がベビーカーの後ろから押して進むのが一般的です。

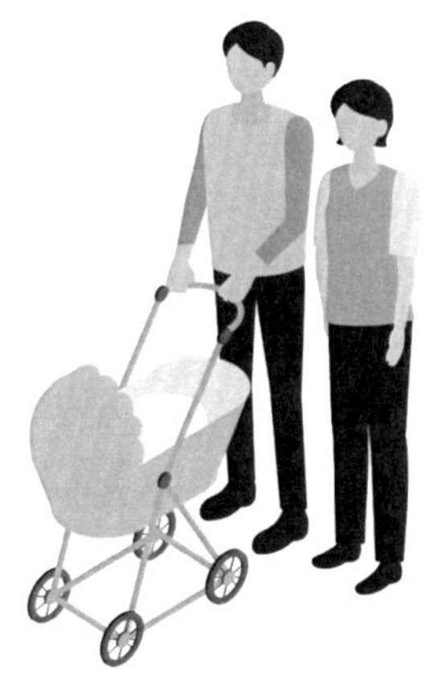

Ａ型ベビーカー

Ｂ型ベビーカー

私たちは赤ちゃんと２人で病院や保育園へ行く時は、おんぶや抱っこをすることが多いです。

Ｙ・Ｋさんは、白杖をつきながらベビーカーを使う方法をＭＬで紹介してくれました。

ベビーカーは新生児期はＡ型、少し大きくなるとＢ型を使います。赤ちゃんが一人で歩けるようになったら、手をつないで歩きます。

Ｙ・Ｋさんの場合……

私は大阪市身体障害者団体協議会のＨ先生に「ベビーカー使用時の白杖歩行指導」を受けました。それはベビーカーをキャリーバックのように後ろ手に引いて、白杖を左右に振り障害物を確認しながら歩行するという画期的なスタイルでした。

ベビーカーには、対面式にでき、赤ちゃんをすっぽり包んでガードするA型タイプと，基本は足を下して座り、リクライニングできるB型タイプがあります。

ベビーカーを後ろ手に引いて歩くことに母子双方が慣れるまでは、対面式のA型を使用しましょう。

キャリーバックを引きずるのと同じように左手にベビーカーの持ち手をつかんで、身体の左後ろに引きずって、右手は自分の幅より多少広めに白杖を振って歩きます。

つまり、赤ちゃんがママの背中を見つめるスタイルです。ママからは赤ちゃんの顔は見えませんが、赤ちゃんからはママが見えているので、よいことにしましょう。

B型になると対面式にできないため、赤ちゃんは後ろ向きに引っ張られることになって、赤ちゃんからママが見えない上、慣性の法則に従って、赤ちゃんがずり落ちる危険もあるので、ある程度赤ちゃんが成長するまではA型の対面式で頑張ってください。

まだまだ、障害者が育児をするというイメージがない時代で、私は細いシンボルケーン（視覚障害者であることを、周囲に知らせるためだけの白くて短い杖）より、あえて太めの白杖を選び、さらに鈴をつけて目立たせていました。

右側歩行をする場合、ベビーカーが車道側になるため、車のドライバーが気がつきやすいように、ベビーカーにかぶせる虫除けカバーは少し派手なデザインにする工夫もしたほうがいいと習いました。

赤ちゃんの成長に合わせて対応も変わってくるかなと思います。

まだオムツや着替えなど荷物が多いときの長時間の外出には、やはりベビーカーは重宝しますが、短時間の外出なら、新生児期は「ベビースリング」（大きな一枚の布でできた抱っこ紐）などが寝てしまったときにそのままベッドに下ろせて便利でしたし、私もそうしていました。

赤ちゃんも10kgを超えると、だっこ紐やおんぶ紐の耐久性にも限界がきます。

ハーネスリュックは、近所で使うには周囲の目が気になって抵抗がありますが、テーマパークでは子どもが迷子にならないように、普通に使用されています。私もそのテーマパークで購入し、そのまま使っていました。

大人と手をつないで歩くときは、大人のほうが背が高いので、子どもは腕をずーっとのばしたまま挙げていることになり、この姿勢が疲れるのか、嫌がる子どもが多いようです。

私と娘は手をつながないで、娘のハーネスリュックの紐を私のベルト通しに通して歩いていましたが、娘は急に走り出すことがなかったので、あまり危険はありませんでした。

ハーネスリュックも子どもの体重が15kgくらいが限界になります。

白杖とベビーカーで悩む時期ってあっと言う間なので、悩んだらすぐ相談し、いろいろ試してみることかなと思います。地域の地形や家の置き場と環境によっても違います。これは一つの例として参考にしながら、ご自分とお子さんの一番しっくりくるやり方を見つけてくださいね。

（2013年のＭＬ投稿）

視覚障害児をみんなで育てる

相談員にR・Mさんから、わが子に視覚障害があるので、育て方について相談がありました。それを受けて相談員がしゃべり場（電話会議）のテーマを「視覚障害の子育て相談」として、企画しました。

そしてR・Mさんの質問に視覚障害のあるメンバーが自分の幼少期のことや視覚障害児を育てた経験を語りました。

R・Mさんは、視覚に障害はありません。

１年４か月前に、在胎週数22週、体重478gのとても小さい男の子を出産しました

何度も命の危機があり、そのなかで、両目の視力と左の前腕（ぜんわん）を失いましたが、小さい体で「生」にしがみついてくれたK君を誇りに思っています。

R・Mさんの悩みに対して他のメンバー達が体験談やアドバイスを通して、励ましました。

Q：息子は、光がわからないため昼夜逆転し、生活リズムがくずれやすいのでしょうか？

A：昼夜逆転するのは、光が判らないからではありません。目が見えている子でも、疲れて眠くなったら昼間でも寝ますし、夜でも眠くなければ起きています。なので、生活リズムを付けるなら、昼間に身体をたくさん動かして、疲れさせると夜は寝てくれると思います。

Q：息子は、自分の指で自分の「目押し」をしてしまうのですが。

A：目を押したりしていると、目の形が変形してしまったり、指から目にばい菌が入り、感染の恐れもあるので、やらせないようにしたほうがよいです。

私も子どもの頃やっていたようで、親や先生に「やめたほうがいい」と言われ、やめました。大人になって周囲の人が嫌な気分になるのがわかり、やめてよかったと思います。

幼い子にやめさせる対策としては、メガネのように、目をガードするものもいいです。目の感触を楽しんでいるなら、目とは別の物を持たせてみてはどうでしょうか？

持たせるならば、ぬいぐるみや、タオルなどで、洗えたり、持ち運びやすいものだといいですよ。

また、目の代わりに耳たぶに触れるように、大人が手を添えるのはどうですか？

Q：息子は、離乳食を食べません。離乳食を楽しく食べるには？

A：離乳食は、子どもの体重などを成長の目安にして、進めるといいです。未熟児なので、月齢にこだわらなくてもだいじょうぶです。

私の子も生まれつき目が見えなくて、知的障害もあり、離乳食も四苦八苦しました。見えないと、温度にも敏感になるようで、熱かったり冷たかったりすると刺激が強いので、常温にすると、よく食べてくれました。

子どもは親のまねをします。親が食べている口やほっぺを手で触らせたり、食べものを手で触らせて食べさせたり、月齢が上がってきたら、一口くらいの丸いおにぎりや野菜スティックにして食べさせるのもいいです。滑り止めマットを食器の下に敷くと片手でも食べやすいです。フォークで食べ物をさすことから、**口に入れる動作までを楽しめるよう手伝ってあげてください。**

見えている子でも、見えない子でも楽しく食べることが大切です。お母さんも、子どもが食べたらほめてください。一緒に楽しみましょう！

Q：見えなくても楽しめるおもちゃや遊びは？

A：おもちゃは音が出るものや、動物や乗り物など触って形のわかるものもいいです。

音の出るピアノ付き絵本や、音の出るボールなど……。

点字図書館には触る絵本があります。

ノンタンなどの「てんじつき さわるえほん」はネット通販でも手に入ります。

見えなくても楽しめる共遊玩具や知育玩具は、日本点字図書館、日本ライトハウス情報文化センター、一般のおもちゃ屋さんで、販売しています。

アンパンマンなどのテレビ放送の中には、リモコンの音声切り替えボタンで副音声にすると声優などによる音声解説を聞くことができます。

実は、私も見えなくなって思うのですが、触覚と聴覚を使うことで、かなり目の代わりになっています。いろんな物に触らせたり、音を聞かせたりして教えてあげてくださいね。

Q：幼少期のうちからしておいたほうがいいことは？

A：見えないと「相手の顔を見て話す」ことができません。いつも下を向いていたり、下を向いたまま話をする癖がつきやすいです。「常に声のするほうに顔を向ける」ように言ってあげてください。

「見て覚える」ことができないので、一つずつ手を取って、可能な限りいろんなものを触って確かめたり、なんでも体験することがとても大事です。と同時に、公園デビューなど健常の子どもたちと触れ合う機会も大切です。どんな子でも挨拶と「ありがとう」など感謝の言える習慣をつけましょう。

Q：息子は、音がないと不機嫌になることが多いので、ずっと音楽をかけていたほうがいいですか？

A：音がないと不機嫌になるといういうよりも、状況がわからないことで不機嫌になっているのかもしれません。音楽で逆に言葉や物音が聞こえなくなることもあります。「洗濯してくるよー」や「ゴミ捨ててくるねー」など、声かけをしてあげると安心するかもしれません。ラジオは言葉を覚えたり、生活リズムを付けるのにいいです。英語など語学を聞かせているママも多く、視覚障害者で語学が堪能な人はたくさんいます。

Q：みなさんは、何をされたらいやですか？

A：いつも置いてあるところに物を置いておいてほしい。
実況中継してほしい。
触れるものは触らせてほしい。

自分の存在を認めないような「五体満足で生んであげられなくてごめん」とは言わないでほしい。

他の障害児を見ても、かわいそうとは思わないでほしい。

子どもには失敗して、そこから学ぶ権利があるので、たくさん失敗させてほしい。

R・Mさんからの質問以外にも、目の見えないお母さんから、視覚障害児を育てるための元気なアドバイスをいただきました。

●やってほしくないことより、やってほしいことを伝えましょう。例えばハサミや包丁は、必ず一度台に置いてから「ママに渡してね」と伝え、できたら「できたね。ありがとう」とほめます。多少ケガはしても、何でも体験させましょう。

でも大事に至らないようにちゃんと見守ることが大切。そして本当に危ないものは、こちらの言うことがわかるまで手の届かないところに置いてください。

「私が守ってあげなきゃ」と子どものやる気をそがないこと。「この子には無理」とあきらめないこと。

●赤ちゃんの成長は障害があってもなくても同じ。子どもの体重が増え、身長が伸びて、食欲があり、機嫌良く過ごせていればＯＫです。もし他の子と違うところが心配になったら、信頼する人に相談しながら、子どもと自分たちに無理のない、最良と思える対応を選んでいけばいいと思います。

●私の母は、私がまったく目が見えなくてもどんどん近所に出ていき、近所の健康な子どもと遊ばせてくれました。

だから、盲学校へ行っても他の子とすぐに遊べて友だちになれたのでよかったです。

まず同じような障害のある子どもや子育てをしている仲間と交流しながら、心を元気にしましょう。

心が元気になったら、近所に出かけていきましょう！

うちの娘は視覚障害児です。一般の子どもは、最初は視覚障害についてわからないから、娘は傷つけられるときもあります。「見た目で判断しないでね」と言えば、相手の子は理解してちゃんと仲良くなれました。

必ずしも理解できなくとも、K君の存在は、とても大きいと思います。いろんなところに出て、いろんな経験をすることはK君の役割なのかもしれません。

●盲学校（視覚特別支援学校）には「幼稚部」があるので、子育ての悩みや今後のことについて相談してみるのもよいと思います。あまり難しく考えないで、たっぷり愛情を注いであげれば、お子さんはきっとのびのび成長します。

●1995年当時のわが家の視覚障害児を育てた体験からのアドバイスです。

乳幼児期の視覚障害者の育児や就園の指導や支援については、神奈川県ライトセンターや社会福祉法人京都ライトハウス 視覚支援あいあい教室（児童発達支援・放課後等デイサービス）、そして徳島ライトホーム（当時の名称）で対応していただけることがわかりました。しかし、地域によって、福祉課や保育課・教育委員会・視覚障害者団体の積極性や考え方の違いや相談例に乏しいことから、地元では対応していただくのが難しい現状がありました。

社会福祉法人京都ライトハウス 視覚支援あいあい教室は設立当時から他府県からの相談も受けていて相談例も多く、安心して相談することができました。

就学についても同様、地域によって支援をいただける環境にないこともありましたが、わが家は、「地域の学校で学ぶ視覚障害児（者）の点字教科書等の保障を求める会」を頼りにして全国の情報を得ることができました。

（2020年１月開催の「しゃべり場」より）

R・Mさんからのお礼

親子共々元気にやっております。息子の生活リズムも整いました。離乳食のほうもお医者さまに診てもらいながら奮闘中です。おもちゃに興味がなかったのですが、絵本と太鼓と電車が大好きになりました。そのとき不安だったことがほぼ解決されていて、改めてみなさまへの感謝の気持ちでいっぱいです。

（2020年12月）

東日本大震災（3.11）体験から学ぶこと

私たちは 2011（平成 23）年 3 月 11 日東北地方太平洋沖地震と、これに伴う福島第一原子力発電所事故を経験しました。そのほか各地で地震や豪雨、豪雪災害が起こっています。
災害時歩き回れない私たちは、日頃から子どもを守るためにも避難対策や準備を考えなければなりません。

Ⅲ④-ⓐ 赤ちゃんとの被災経験

2011 年 3 月 11 日　茨城県水戸市

私たちは、２人とも視力がまったくない夫婦です。

当時主人は職場、２歳だった長女は保育園。私は生後５カ月の次女と家事援助のヘルパーさんと一緒に自宅マンションにいました。

午後２時46分。今までには経験したことのない大きな揺れでした。成すすべもなく、次女を床においてその上におおいかぶさり、揺れが収まるのを待ちました。

震度は、６弱でした。程なくして隣の部屋の友人が外から私を呼んでくれ、余震の状況を見ながら長女のお迎えに行きました。道中は割れたガラスや倒れたブロック塀などが散乱。足下を確認することができない私にとっては、阪神淡路大震災も経験しているこの友人の存在がとても大きかったです。そこから自宅近くの学校に避難。夕方になり、寒さも増してきたため、この先どうするのがよいか改めて考えました。

まず最初に浮かんだのは、主人はしばらく家には戻ってこられないだろうということ。一度マンションに戻り、いざというときには住民の方と行動を共にしようということにしました。マンションに戻ると多くの住民がエントランスで、ラジオから流れてくる刻々と変わる情報（このときは地震と津波、さらには原発事故もあり、かなり錯綜）に注意を払いながら、お菓子や毛布を持ち寄り、過ごしていました。

まったく経験のない事態に不安と動揺がある中、住民同士のつながりを持てたことはありがたいと強く感じました。

夜遅くになり、自宅へ戻るとライフラインは電気、水道、ガス、すべて不通となっており、ここから数日間は心身ともに大変過酷なものとなりました。

水が出ないため、トイレで用を足しても流せず、体を拭けたのは３日経ってから。そして、何と言っても次女のミルクを作るためのきれいな水を得ることが困難でした。困っていた私たちに友人や今回の被災を通して親しくなった住民の方が水を探して来て食料とともに届けてくれました。誰もが大変な状況の中で親切にしていただいたことは、本当に感謝の一言しかありませんでした。

このような体験を通して大きく分けて２つ感じたことがあります。

１つは食料の備蓄と非難用具の準備の大切さです。中でも重要なのが水と食料。食料というとカップラーメンなどを想像される方が多いと思いますが、ライフラインすべてがストップしてしまうと調理がままならず食べられません。そこで、すぐに口にできる飴やキャラメル、チョコレート、スナックなどのお菓子があると重宝します。また、浴槽に残り湯をためておくことでトイレが使えますし、ミネラルウォーターを購入する際は、日頃から多めに購入し備蓄しておくとよいと感じました。そのほかラジオ、懐中電灯、衣服（ジャージ類などの動きやすいもの、保温性のあるもの、下着）や雑貨類（ポリ袋やタオル、子どものオムツやミルクといったもの）をその家族の状況に合わせて持ち出せるようにしておくとよいと思います。私が発生直後に持ち出せたのは、貴重品と次女のミルク（偶然にも１回分作ってあった）のみでした。

そしてもう１つは「情報の備え」の大切さです。災害を未然に防ぐために必要な知識や情報の収集、また、いざ災害に見舞われてしまった場合には、避難をするかしないかなど、さまざまな選択と瞬時に決断する力が求められます。気象庁や国土交通省、また各自治体から提供される情報を参考に、ふだんから家族の状況に応じて災害時の対応を話し合うことは、私たちにとって特に大切です。フェイスブックやTwitterなどのＳＮＳは、情報収集の他、安否確認をする際に有効です。災害時は、極度に追い込まれた精神状態の中で、その場その場で起こっていることを受け止め、選択をしなければならないという面で健常者も私たち視覚障害者もまったく変わりはありません。わが子を守り抜くために、何を選び、何を信じるか？それらすべてに責任を持つという精神力が自分に問われます。

そして、助け合い、支えあえる人間力。日ごろからご近所の方や地域の方とコミニュケーションを図っておくことが大切だと感じます。

（2016年2月発行の新聞より抜粋）

参考

・乳児用ミルクは液体でも販売されています。

・災害時など哺乳瓶の準備が難しい場合は、紙コップや衛生的なコップなどで代用します。

　コップを煮沸消毒や薬液消毒できない時は、衛生的な水でよく洗います。

・残ったミルクは処分します。

・子どもは、脳の成長に糖分が欠かせず、非常時には、３歳児でもフォローアップミルク（離乳完了期の牛乳代用品ミルク）を飲ませたという話もあります。

・日頃から食べ慣れたお菓子などを備えておくと、子どもは拒絶しないで安心して食べます。

・羊羹（ようかん）は、日持ちがするうえ、糖分で腹持ちもよく、非常食に向いています。

Ⅲ④ⓑ 救急情報カードの作成について

災害時などの緊急時における救護活動や安否確認、避難所での情報伝達などに役立つ「救急情報カード」を、各地で作成しています。

ここでは、乳幼児と障害児の「救急情報カード」の作成について、具体的に説明しています。自分のことを説明できない子どもが長時間保護者と離れることになった場合、子どもを預けるのに役立ちます。

このカードは濡れてもいいようにカードケースに入れましょう。外出や避難するときには、保護者のカバンや防災リュックに入れます。子どもが持てるようになったら、子どものＳＯＳの笛と一緒にカバンに入れましょう。自宅の冷蔵庫の扉に貼ったり、地域の支援者に渡しておくのもよいです。

子ども用の救急情報カードに記載する内容

① 氏名・住所・連絡先は必須

② 食物アレルギーや服薬情報

- 投薬名
- 飲める薬のタイプ（液体、粉末、錠剤など）
- 何か飲ませ方があればそれも記載

③ 食べられるものの記載

- ミルクの種類、温度、量、間隔を記す
- 離乳食は、形態、回数を記す

④ 一人でトイレができるかどうか

⑤ ふだんなんと呼んでいるのか（「○○ちゃん」など）

⑥ 好きな歌や遊びなど

⑦ 身体や知的な障害がある場合は、障害種別や障害特性を記す

＊障害種別よりも、障害特性の記載が重要です。

ほんのわずかな時間でも、乳幼児や知的障害者にとっては見当がつかない分、長い時間に感じます。

⑧　障害特性の例

・コミュニケーションをとる上での留意点は？（例えば、ひらがなで書けば理解できる。図や簡単なイラストでなら理解できる。ゆっくり話せば理解できるなど）

・どんな配慮をすれば、どの程度の理解ができるのか

・どんなこだわりを持っているのか

・どんなことで落ち着くのか

・どんなことで怒りだすのか

緊急情報カードを早速作りましょう！

以上、緊急時に避難したときには、必ず役立ちます。

（2014年のＭＬ投稿）

第Ⅳ章

幼児の頃

この章では、子どもはご飯をモリモリ食べて、おかあさんと公園に行ったり、保育園にも通い、たくさんおしゃべりができるようになっています。親は生活の範囲が広がって、人間関係が変化し、気持ちが揺れ動いている様が書かれています。
また、私たちにとって強い味方のヘルパーさんについても専門家の詳しい説明があります。

見えなくても私が保護者！

ある日、ヘルパーさんからの言葉に悩んだＴ・ＫさんのＭＬ投稿に対し、２人のメンバーから、体験談やアドバイスがありました。私たちは見えなくても、子どもと仲良く支え合い、子どもを守る保護者だと思っています。

Ｔ・Ｋさんの場合……

私たちは、目がまったく見えない夫婦と目が見える息子の３人暮らしです。息子は２歳５カ月になりました。

半年ぐらい前から、雨の日以外の息子と一緒の外出では、私は右手に白杖を持ち、左手で息子と手をつないで、その横をヘルパーさんは歩いています。

今月に入ってからは、私が歩き慣れた道は、あえてヘルパーさんに後ろを歩いてもらい、私と息子が手をつないで、さらに私と息子を、迷子紐でつないで、手を放したときにも歩けるようになりました。ところが、外出先のお店で、私たちと後ろを歩いているヘルパーさんの距離が離れて、声が届かなくなりそうなときや、公園で迷子紐をはずして、息子が一人で遊具で遊んでいたりするときに、ヘルパーさんが私をサポートせずに、息子に、サポートさせるかのように「ママをつれてきてあげて」「ちゃんとママをつれて行ってあげてね」など連発します。

たしかに他人から見ると、私と手をつないで歩くということは、たった２歳の息子がママをつれて歩いているように見えるでしょう。でも、母親である私は、そう思いたくありません。ママと仲良しだから、いつも手をつないで一緒に歩いていると思いたいし、息子に連れていってもらおうなんて思っていません。

歩行訓練を受けてなんとか家の周りは一人で白杖を使って歩けるようになった私。ヘルパーさんたちには悪気はないけれど、「ママ連れてきて」を連発されることで、息子が「ママは、ぼくがつれて歩いている」と思うようになって、それを言葉に出すようになったら、私は息子に、なんて答えればいいのだろうと不安でしかたがありません。

主人に相談したら、「それはしかたがない、ヘルパーさんたちも普通のおばさんだから、そんな言い方は止めてほしいと言っても難しいだろう。でも、おまえが、いやならそのつど、『私をサポートするのはあなたの仕事じゃあないですか？』と注意し、だめなら、そのヘルパーさんに辞めてもらえばいい。大事なのは、子どもがどう思っているのかということ。おまえがつねに、『ママと一緒に歩こうね』と言っていればいいんじゃない？」と言われました。

Aさんから……

わが家は、目が見えない私と、目が見えている夫と２人の子どもの４人家族です。

うちの子どもたちの場合も、私たちの両親や親戚が、「ちゃんと見てあげて」「あなたが見てあげないといけないのよ」と、子どもを追い詰めるところがありました。その度に私が「お母さんはだいじょうぶだから、気にしなくていいよ」と言っていました。

今、高校生になった娘がこんなことを言っていました。「親の手伝いをするのは、親に障害がなくとも、買い物を手伝ったりするから、当たり前だと思うし、私は、お母さんが目が見えないから、お母さんの誘導をしたときに、お母さんから『上手だね』『ありがとう』と言ってもらえるとうれしい。

もし障害物にぶつけてしまったときには、対処法を前向きな言い方で教えてくれたら、精神的な負担にはならないと思う。でも、責任を負わされるような言い方で、『そんな誘導じゃだめよ』とか、『あなたがしっかりしないと』などとは言わないでほしい。視力があるからと言っても、見ていなかったり、覚えていないこともあるので、責めるようなことは言わないでほしい。そして、親の手伝いで、自分の時間がなくなるのは学業に差し支えるときに、とてもつらい。できたら、『いつならできる？』と前もってこちらの都合を聞いてくれるとうれしい」

中学生ぐらいになると、部活や受験勉強などで、なかなか親の手伝いはしてもらえなくなります。ヘルパーさんを利用すると、子どもの負担も減ると思います。

Bさんから……

わが家も目が見えない夫婦と目が見える娘（小学生）の３人家族です。

この頃娘もいろんなことができるようになってきたので、お願いすることが増えてしまっています。

私も主人も目がまったく見えないので、それだけで、子どもが背負っているものがかなり大きいのだと思います。肩の荷を重くし過ぎてはいけないなと感じていますが、現実は頼ってしまう私がいます。

（2018年のＭＬ投稿）

子どもと２人で公園に行きたい

子どもと２人で公園に行きたいと悩んでいたＮ・ＫさんからのＭＬ投稿に対して３人のメンバーから、体験談やアドバイスがありました。

Ｎ・Ｋさんの場合……

主人は会社員で目が見えますが、私は網膜色素変性症で出産してからだんだん目が見えなくなってきました。最近主人が仕事でいない時間に、３歳の娘と２人で公園へ行きたいと思っていたのですが、近くに住む私の実母から、見えないのに２人で行くのは危ないと言われてしまいました。これから子育てをしていけるのか、不安になっています。

Ａさんから……

私は小学２年の娘と５歳の息子の母親です。私は視力がまったくありません。夫は目の前で、手の動きが少しわかる程度の視力です。私たちは韓国人なので、夫も私も親や兄弟の手を借りられる状況ではありません。

まずは育児＆外での遊びですが、長女が生まれて初めての育児で右も左もわからなかった私は、ミルクとオムツ替えができたら、さあ、爪切りはどうしようと思い、初めての爪切りは産後手伝いに来た義母に頼みました。義母は娘の指を切ってしまいました。

その後、２回目は週に２回来ていたヘルパーさんにお願いし、このときも指を切られてしまいました。そのとき、感じたのは、娘のことで他人の手を借りることは、その人に重荷を託してしまう結果となるということです。結局、私はずっと子どもの爪は自分で切っていますが、指を切ることはありませんでした。

それから2年前に初めて同行援護サービスを利用して、子どもたちをつれて公園に出かけたことがありました。公園で少し娘と息子を遊ばせながらヘルパーさんに子どもたちの様子を見てもらっていましたが、いつのまにか当時2歳の息子がいなくなり、迷子になりました。ヘルパーさんは他のお子さんを間違って息子だと思っていたそうで、気づいたときは公園中を探しても見つかりませんでした。近くの交番に迷子届けを出しに行ったら、交番で息子が遊んでいました。

このことで、私たちは大いに反省するとともに、安全を守れるのは注意を払う度合いであることを学びました。つまり、子どもの安全を確保するのは、視力の有る無しではなく、どれだけ注意を払うのかにあると思います。

私たちの出来事で、ヘルパーを派遣する会社は大騒ぎになり、以降、私たちは子連れでの外出ができなくなっていました。いろいろと交渉をした結果、子ども同伴の際、子どもの安全についてはヘルパーさんは責任を持たないという契約を結んだ上で、今は利用しています。

近くの公園などは私たち家族だけで行くことが多いです。公園では私はできるだけ子どもと一緒に滑り台で滑ったり、一緒に遊びます。そのほうが子どもを身近で安全確認ができるからです。

次に、ヘルパーさんについてですが、住んでいる役所の障害福祉課に自分たちの状況を説明してヘルパーさんが必要である旨をお伝えしたら、制限はあるかもしれませんが、きっと利用できると思います。状況説明をされる際のコツは、「親族から手伝ってもらえない」という説明をされたらよいと思いますよ。

要は、視覚障害者である母親が子育てをすることは簡単ではありませんが、それぞれ置かれている状況を存分に利用しながら、母親自身ができることをしっかり見つけていくことだと思います。

Bさんから……

私は長い間、少し視力がありましたが、徐々に進行し視力がなくなりました。

旅行アイテムで「離れるとアラーム」という盗難防止アイテムがあるのですが、私はその親機側のキーホルダーを子どものベルト通しにつけていました。子機は私が持ちます。私から10メートル離れると子どものベルト通しに付けた親機はピーピーと鳴り出します。設定を変えると３メートルでも鳴ります。その音を頼りに、子どもの居場所を確認していました。

その他は「呼んだら大きな声で返事するように」と、子どもに教えました。呼ばれても遊びを中断したり、そばに来たりはしなくていいというルールでしたから、息子は簡単に覚えて、大きな声で返事するようになってくれましたが、その下の娘はダメでした。子どもも障害の有る無しだけでなく、個人差はありますからね。

後は、いかにしてママ友を巻き込んだり、地域の福祉を利用するかでしょうかね。私は、ファミリーサポートに登録しました。１時間800円で、近所のボランティアさんが交替で来てくれます。こうして知り合ったボランティアさんは、息子が10歳になる今日でも、息子を気にかけてくれるので、1時間800円はけっして高くはない投資だったと思います。

私の親はネグレクトだったので、親の協力が得られるって聞くと、とてもうらやましいです。主人の実家が近くにあり、運動会や発表会に姑が来てくれるので、私も助かっているし、感謝しています。

私は役所から「お子さんが小学校に上がるまでしかヘルパー利用はできません」と言われました。どんな環境にあっても、中心は子ども。子どものために、親として一生懸命やっていると言うことだけだと思います。

続いて外遊びですが、私は近所の公園とマンションの中庭内の歩行訓練も依頼しました。

N・Kさんは親がガイドしてくれそうなので、ぜひ、公園内の遊具や安全そうな空間の場所、同じ年頃の子がよく集まっている時間などを調べてもらうといいかも。小さな幼児向けの滑り台とか、砂場近くのベンチは要チェックやで。

幼児向けの滑り台なら、横に立てば、滑り台の上に座らせても私らの手が届くからね。私は砂場の砂をベンチに載せて、お好み焼きごっこをしました。砂遊びは移動が少ないので、らくに楽しめましたよ。近所の子も巻き込んで、「使ったおもちゃは、おばちゃんの手に渡すこと」という約束も作りました。幼児用の鉄棒も、自然な形で手を添えて遊ばせることができるので、子どもは楽しんでいました。

公園までの移動は誰かと一緒でもいいと思います。大事なのは安全なんです。体を動かすだけなら、自宅の中でもできるやん。

私は、廊下でキャッチボール代わりのキャッチ車（車のおもちゃをカービングみたいに転がす）をしてました。廊下の幅は狭いのと、壁に当たるからまっすぐしかこないもん。足を開いて座り込めば必ずストライク。布団の上で、枕やら座布団を重ねて、馬跳びごっこもしました。あおむけに寝ころんで足の裏をつけての足相撲やら、腕相撲もやりました。

Cさんから……

私は視力がなく、主人は少し視力がありました。これは、娘の出産時の話です。

前日になんかおかしいと思い、病院に行ったら、大事をとって入院となりました。

病室に入ると、担当の看護師さんが、とても丁寧に部屋の案内をしてくれました。リモコンの操作方法まで教えてくれたので、すごいなと思っていたら、「私も母は視力がなく、父は少し視力のある夫婦の家庭で育ちました。生まれてくる赤ちゃんと同じです」と言われました。

看護師さんは息子のときとはまた少し違うオムツの替え方や、お風呂の入れ方など、いろいろ考えて教えてくれました。

私は看護師さんに、「視覚障害の両親に育てられて、いやだなと思ったこととか、他の子がうらやましく思ったことがありますか？」と聞いてみました。

息子をどこかに連れて行くときも、私はだいたい歩かせていたし、他の子はバイバイと言って、親の車に乗り込んで帰るのに、遊び疲れた息子をさらに歩かせなければならないことを、本当に申し訳ないと思っていました。

看護師さんは、「歩くのは当たり前で、たまに誰かに乗せてもらっても、それは特別のことだと思っていました。それより私は、母に本当に感謝しています。障害のない親でも、ちょっと目を離した隙に、子どもにケガや火傷（やけど）を負わせてしまうことがあるのに、私が鏡で自分の顔や体をみても、傷跡一つありません。これは母が本当に私たち兄弟のことを、いつも気にかけて育ててくれたからだと思います。私には２歳の子どもがいますが、いつも出かけるときは母に預けています。友だちは『だいじょうぶ？』と聞いてくるけど、母に預けておくのが一番安心です」。

私はそのとき、胸の仕えが取れたような気がしました。

私たちにはどうしてもできないことがありますが、できることを一生懸命やって子どもと向き合っていれば、きっと子どもはわかってくれると確信しました。

その後、実家に帰ったとき、畳に差してあった押しピンを息子が持っているのに誰よりも先に気づいたのは、私でした。

（2014年のＭＬ投稿）

かるがも家族のベストショット❸

かるがもの会会員のSさんから家族のベストショット写真を
ご提供いただきました。

いっしょに
あそぼ

七五三　家族でハイポーズ

【お役立ち情報】

便利な障害福祉サービスと民間のサービス

◉障害福祉サービス

障害者の日常生活及び社会生活を総合的に支援するための法律「障害者総合支援法」に「障害福祉サービス」が規定されています。

障害者総合支援法の目的は「障害者及び障害児が基本的人権を享有する個人としての尊厳にふさわしい日常生活または社会生活を営む」ことです。

Ⓐ同行援護（平成30年4月1日から）

同行援護は「障害者総合支援法」に定められた視覚障害者が外出時に利用できるサービスで、一般に「ガイドヘルプ」と呼ばれています。

この誕生前から、外出を支援する制度として移動支援事業はありましたが、それらと比較した特徴は、「視覚的情報の提供」という項目が盛り込まれた点です。

視覚障害は情報障害であり、必要とする支援は情報提供であるという点は、従来の外出支援の制度では見落とされていました。そうした中でも、出先でガイドヘルパーに何かを読んでもらうという場面はありましたが、あくまで付随的サービスとして実施されていただけなのです。しかし、同行援護では、代筆や代読を含む情報提供がサービス内容に含まれているため、移動の支援と同様、情報の提供を求めることができるようになりました。ガイドヘルパーの養成研修でも、情報提供や代筆代読に関する科目が追加され、業務に含まれることは、ガイドヘルパーにも周知されています。

移動支援事業は障害者の外出を支援することを目的としていましたが、同行援護は、視覚障害者を対象として、外出に必要な視覚的情報の提供（代筆や代読を含みます）を行うことを目的としている点で、移動支援とは異なります。

同行援護は障害者総合支援法の中の「自立支援給付」の一つです。この「自立支援給付」は、国が基準を決めて費用を負担する仕組みです。

同行援護の外出サポートによって地域での社会参加や視覚障害者のストレスの軽減にもつながっています。

また、同行援護は介護保険にはないサービスであることから、介護保険対象者であっても利用できます。

1．支給対象者

法律では『視覚障害により、移動に著しい困難を有する障害者等』とされており、独自の評価指標（同行援護アセスメント票）に該当すれば利用ができます。

同行援護アセスメント調査票のうち、視力障害、視野障害、夜盲のいずれかにあてはまり、同時に一定の移動障害にあることが必要です。

利用相談先はお住まいの各市区町村障害福祉課あるいは地域を管轄する福祉事務所です。

2．同行援護のサービス内容

同行援護を利用することにより、利用者が不安・不便なく外出ができます。

具体的なサービス内容は、次になります。

・外出先で移動の援護
・外出に際し、代筆や代読など
・外出先での排せつ、食事介助
・外出時の衣服の着脱など外出するために必要な援助

◯利用できる外出

・社会生活上、必要不可欠な外出
・余暇活動など社会参加の促進のための外出
例えば、下記のようなものが該当します。
・市区町村役場などの各種手続き、相談
・金融機関の利用
・医療機関の受診
・入院している家族との面会
・地域で開催される催し、研修会
・買い物や理美容院

・習い事やサークル活動
・散歩　など

×利用できない外出
　あくまで社会生活において必要不可欠な外出、余暇活動のための社会参加に限って認められるサービスです。
　ただし、原則長年かつ長期にわたる外出には利用できません。

※同行援護事業 Q&A（社会福祉法人日本視覚障害者団体連合）のホームページを参照してください。

Ⓑ 居宅介護

　居宅において、入浴、排せつ及び食事等の介護、調理、洗濯及び掃除等の家事並びに生活等に関する相談及び助言その他の生活全般にわたる援助を行う支援です。

1．対象者
　障害支援区分が区分１以上である者
　※市区町村の認定調査及び医師の意見書により判定されます。
2．居宅介護（家事援助）の業務に含まれる「育児支援」
　育児支援の観点から行う「沐浴や授乳等」
　※「沐浴や授乳等」の「等」については、以下のように具体例を挙げています。

・乳児の健康把握の補助
・児童の健康な発達、特に言語発達を促進する視点からの支援
・保育所・学校等からの連絡帳の代筆代読、助言、保育所・学校等への連絡援助（その他、対象範囲に含まれる業務）
・利用者（親）へのサービスと一体的に行う子ども分の掃除、洗濯、調理
・利用者（親）の子どもが通院する場合の付き添い
・利用者（親）の子どもが保育所（場合によっては幼稚園）へ通園する場合の送迎

※その他利用可能な支援はさまざまありますので、各市区町村にお問い合わせください。

◉民間のサービス

私たちは、公的なサービスをまず利用します。その際、依頼したヘルパー事業所によってはその事業所に乳幼児を扱う資格がないからとか、子どもの責任はとれないという理由で、子どもを伴ってガイドヘルプを依頼すると、断られるヘルパー事業所もあります。

そのようなとき使えるのが、民間のサービスです。内容は、①福祉有償運送サービス、②子育てタクシー、③家事代行サービスなどですが、2021年３月現在では、まだこのようなサービスがない地域もあります。

1．福祉有償運送サービス

福祉有償運送サービスとは、全国の訪問介護事業者やＮＰＯ（非営利組織）等が、高齢者や障害者等公共交通機関を使用して移動することが困難な人を対象に、通院、通所、レジャー等を目的に有償で行う車両による送迎サービスです。

市町村や市町村社会福祉協議会が国庫補助を得て、または、自主事業として、有償または無償で同様のサービスの提供を行っています。

事前に登録が必要な場合もありますが、タクシーよりも値段が安く、目的地まで直接行くことができます。福祉有償運送サービスやタクシーを利用するなら、子どもを伴うガイドも引き受けてもよいというヘルパー事業所もあるようです。

（福祉有償運送運営協議会マニュアルより一部引用）

2．子育てタクシー

「子育てタクシー」とは、一般社団法人全国子育てタクシー協会主催の子育てタクシードライバー養成講座課程を修了したドライバーが専門に乗務する、お子さんやその保護者、また妊娠中の方にも優しいタクシーのことです。

荷物が多くなりがちな乳幼児を連れた外出のサポート、保育園や学童保育所、塾などに子どもだけで乗車できる保護者の代行としてのお迎え、陣痛時や急なトラブルや夜間の発熱などにも対応できるスムースな送迎など、"いざという時の保険"として登録・ご利用いただける、子育て世代に優しいタクシーです。

まだ、対応していない県もあります。

（一般社団法人全国子育てタクシー協会のサイトから一部引用）

3．家事代行サービス

家事代行サービスとは、自宅の「家事」を他人に「代行」してもらうサービスのことを指します。

家事代行サービスでは、ふだんから私たちが行っている家事のほとんどを依頼することが可能です。

具体的には、部屋の片づけや掃除機がけ、食器洗い、キッチンやお風呂、洗面所、トイレなど水回りの清掃、バルコニーの清掃、洗濯、アイロンがけ、たたみもの、窓ふき、靴磨き、庭の掃除、日用品の買い物、料理の作り置き、郵便物の受け取りにいたるまで本当にさまざまなことが依頼可能です。

家事に利用する掃除用具や洗剤なども、基本的にはサービス利用者の自宅にあるものを使用するのが一般的となります。

家事代行サービス会社から派遣されるスタッフは、依頼主ではなく会社と雇用契約を結んでいます。家事代行サービス会社の場合はスタッフ採用の段階で一定の基準を設けているため、派遣されてくるスタッフも信頼しやすく、仮にスタッフとの相性が合わなかったとしても、家事代行サービス会社にその旨を伝えればスタッフ交替などに対応してもらえるため、雇用上のトラブルが発生することはありません。

　また、家事代行サービス会社は基本的にどの会社も損害賠償保険に加入しているため、万が一家事作業中に物損事故などが発生しても、しっかりと補償を受けることができます。

　値段は少し高額になりますが、事前にカギを預ければ不在時に作業をしてもらえ、掃除や料理のクオリティが高く、時間や精神的にも余裕ができて利用してよかったという視覚障害のある方もいました。

（Life Huggerのサイトから一部引用）

Ⅳ 3 園生活

親の都合により、早い子はゼロ歳から保育園に通います。また３歳から幼稚園に通う子もいます。子どもも大人もドキドキ！
２歳頃は、第一次反抗期です。自己主張をしたり、自分でやりたがることが増えて、子ども同士のトラブルが出てきたり、親子で言い合いになってしまうときもあります。感情的にならずに子どもと手をつないだり、ギュッと抱きしめたりしながら話すなど、落ち着いてコミュニケーションをとることが大切です。
短い園生活時代の楽しい思い出を、家族でたくさん作りましょう！

Ⅳ 3 a 幼稚園での生活について

群馬県　Ａ・Ｋ……

わが家は、網膜色素変性症で現在まったく目が見えない私と目が見える主人、それから幼稚園年長の娘と、２歳の息子の４人家族です。

今日は、娘の幼稚園での生活についてご紹介させていただきたいと思います。

３歳になったのと同時に未満児保育で入園した娘も、今年の４月から年長さんになりました。行き帰りのバスの中でも、入園したばかりの年少さんのことを気づかってあげている姿を見るととても誇らしそうに見え、私もうれしくなります。明るくて素直に育ってくれていることは、親としてとても喜ばしいことです。

でも、毎日の園生活の中で娘もさまざまな問題に直面し、心にストレスを抱えて帰ってくることもあります。帰宅するなりいばってみたり、朝、幼稚園に行きたくないと言ったりすることもよくあります。そんなときは幼稚園児とはいえ、子どもも社会に出て一生懸命に頑張っているのだと感じます。そして、楽しいことを親子で話しているうちに、何となく気分も変わって、リュックをしょって出かけて行ってくれたりしています。

娘の幼稚園は教育、スポーツ、遊び、すべてのことがとてもバランスよく取り入れられた幼稚園です。バス通園や給食が出ることも幼稚園を選ぶ際の基準でしたが、一番私がいいと思うところは、12人いる先生方が300人もいる園児とその保護者の顔と名前を把握しているというところです。明るく声をかけてもらえると、子どもだけでなく親である私もとてもうれしい気持ちになります。お友だちもみんなのびのびと元気いっぱいのよい子たちでプリキュアごっこをしたり、おままごとをしたりとなんだかんだで楽しそうにやっています。年長さんからは、絵の具をクラスで使うようになったり、鼓笛の練習があったり、お泊り保育やスキー教室などの行事もあり、今から子どもと一緒に胸をふくらませています。

そして、２学期からは息子も未満児保育で幼稚園に入園します。娘は卒園までのわずかな期間ではありますが、大好きな弟と同じバスに乗って幼稚園へ行くことは、娘にとっても息子にとっても楽しいことだろうと思います。

これからも元気いっぱい楽しい園生活を送ってくれることを願っています。

（2011年6月発行の新聞より抜粋）

Ⅳ③-ⓑ「園で白杖を使っていますか？」

保育園で、白杖を使うことに迷ったM・Iさんから、MLに投稿があり、3人のメンバーからお返事がありました。

M・Iさん……

私は、少し視力があります。みなさんは、保育園の中で白杖を使っていますか？

Aさんから……

私は今、4歳、年少の男の子と、5カ月の女の子の母親です。保育園には私と主人と交替で送迎をしています。主人は弱視で、まぶしいのが苦手なので、特殊なサングラスをしていますし、私は右目が眼球破裂でつぶれていて、見た目にも2人とも「視覚障害者」って感じで、保育園の子どもたちもすぐにわかってくれました。

小さい子ってとっても素直で無邪気で可愛いです。ストレートに「ねえねえ、K君のママって目がないの～～？」とか、「ねえねえ、この白い杖ってなあに？」とか、主人には「そのサングラス、かっこ悪～い」とか、みんなかわいく言ってきます。

わが子にも普通に、「お母さんお目めが見えてないんだ。だから、おもちゃはお母さんの通るところに置きっぱなしにするとけとばしたり、踏んで壊しちゃうかもしれないから、こっちにおいといてね」とか伝えてます。見えてないってわからない頃は、「お目めをつぶってみて。そうすると何が見えるかな？」と聞いて、「何も見えない」

と返ってくると、「お母さんはいつもそんな感じなんだ」と、子どもが興味を持ったときだけ根気よく教えていました。

なので、保育園ではたまに、私の代わりに、お友だちに説明してくれますよ。「これはね、お母さんがお目めが見えないから持ってるんだよ。白杖（はくじょう）って言うんだよ」とか、他にもいろいろなんやかんや説明しています。

子どもたちはきっと珍しい棒なので興味津々で、願わくば遊びたい、あの棒を振り回したい、触りたいなどと、考えているのだと思います。現にわが子は白杖を持ちたがるし、振り回そうとします。振り回すのは危ないので、さすがに止めますけどね。

とにかく、子どもって珍しいものとか、楽しそうなものを見つける天才です。無邪気だから、こちらも素直に答えられます。

Bさんから……

公園デビューの時期から、当時はまだ少しは見えていましたが、白杖を持ちはじめました。ベビーカーを押しているときは白杖を畳んで（持てないため）、公園についてから白杖を伸ばして歩いていました。周りの人からは、「少しは見えるの？」と聞かれ、「進行性の病気で視野狭窄があるので動いているものが見えないの」と説明しながら行動していました。

私の障害について説明してきたこともあって、中学２年の息子も、小学６年の娘も、今のところ、私が視覚障害者だという理由ではいじめられません。

Cさんから……

私は、まったく目が見えません。目が見えないことは、悪いこと（悪い人であるということ）ではありません。堂々としていればいいと思います。私は保育参観のときも、今は授業参観でも、ずっと白杖を延ばしてもったままでいます。むしろ、みんなに知ってもらいたいと思っています。

特に子どもは、ストレートに思ったことは言いますが、まったく悪気や変な同情や、そんなつもりで言っているのではありません。子どもが保育園の頃から、「おばちゃん、目が見えないの？」「本当なの？」など、はたまた、杖を持っているから、「おばあちゃん」て言われたこともありますが、私は「そうだよ」と言って、本当のことを伝えてきました。うちの子どもも、今でも平気で、お母さんは目が見えないから……と友だちに話していますよ。

私は読み聞かせのボランティアもしていますが、ある意味、子どもたちからは尊敬されているかも？

今は学校の教科書にも、「点字」が出てきます。見えないそのままの自分をみんなに見せて、やれることはやり、助けていただかなければならないことは助けてもらう。それでいいと思います。やれないことが多いと、ちょっと落ち込んだりもしますけどね。

来年息子は中学生になります。来週の月曜日は、その中学の先生と、点訳ボランティアの方と、教育委員会の方と、もちろん私も一緒に、話し合いの場を設けていただいています。

小学校では学校から家庭に配られる配布物は、学校から点訳グループにファックスして、点訳して、うちに届けていただいていました。中学では配布物などの対応をどうするかが中心の話し合いになると思います。ついでに自分の意見も要望もしっかり伝えて、お互い理解し合いたいと思っています。

(2012年のML投稿)

Ⅳ③-ⓒ 保育園での生活について

大阪府　Y・K……

保育園校区とは違う小学校での新一年生になった兄の入学準備に追われて、ついついないがしろになっていましたが、娘もこの春から年少クラスに進級しました。娘の通う保育園では、２歳クラスから制服着用で、年長組ペアをリーダーとし、すべての年齢の子が１人１つ割り当てられた少人数グループで遊ぶ、いわゆる「縦割り活動」にも参加します。なので、昨年までは兄にべったりで、ある意味、娘も新生活スタートといったところでしょうか。

５月の第２土曜日は、年度最初の親子参加型の参観日です。娘のクラスは、園庭にある遊具を順に回るサーキット遊びでした。娘も滑り台や登り棒が上手にできるところを披露したくて張り切っていたというのに、おもむろに放送が入り、うちの娘とＫ君は園庭の真ん中にあるベンチまでママと一緒に来てベンチからジャンプして、帰りはママに抱っこしてもらって戻ってきてくださいとのこと。Ｋ君のママさんは車椅子使用者です。私は、まったく視力がありません。３歳を目前にし、おませな娘は自分だけがさせてもらえなかったことに疑問を持ちました。そして、ママのせいでこれからも何もさせてもらえなくなるのでは？と不安になったようです。

ただ、娘は私にそう感づかれないようにと、必死に笑顔を作り直します。いたいけな娘の行為に報いるために、私もその場を繕いましたが、娘の自尊心も自己決定権も踏みにじったことに変わりはありません。なぜこのようなことが起こってしまったのでしょう？

それは私が仕事にかまけて、保育士との連絡を取っていなかったことに他なりません。息子のときには行事も初めてで、過剰なくらいに打ち合わせをしていたのに、息子が３歳、娘が10カ月で仕事復帰してからは、４時以降の延長保育は、担任が替わるために、保育士と顔合わせはなくなっていたからです。

その後、娘は娘なりにクラスに友だちもでき、保育園生活を楽しんでいるようですが、息子が卒園してはたと気づきました。息子のクラスにしかママ友がいないということに。

運動会でもクリスマス会の保護者出し物でも、兄のクラスでは特別扱いされることもなかったのですが、それなりにやってこられたのは、クラスのママ友たちがサポートしてくれていたからなのです。それもあって、親子遠足や運動会では娘を膝に、息子のクラスで行動をともにしていたのです。一人遊び時期の娘に対し、集団遊びが確立している息子のほうが友だちと座りたいと意思表示できますからね。

もし、あの最初の親子参加型参観で保育士とちゃんと打ち合わせし「サポート依頼」を私からクラスのママさんにしていたなら、運動会や親子遠足の半分でも娘のクラスシートにいたなら、事態は変わっていたでしょうね。

２人目となると慣れから私と同じような失敗をしないように、そして、下の子の意思も尊重するように気をつけましょうね♪

（2011年６月発行の新聞より抜粋）

Ⅳ③-ⓓ 見えないことをどう説明したらいいの？ 

ママ友やよその子に自分の見えないことをどう説明したらいいのか悩んだＮ・ＫさんからＭＬに投稿があり、３人のメンバーさんから体験談やアドバイスがありました。

Ｎ・Ｋさんの場合……

私は、出産するまで目が見えていましたが、出産後急に目が見えなくなり、少しずつ悪化し、ほとんど見えない状態から、今はまったく目が見えなくなりました。ほとんど見えない時期もかなり不便でしたので、まったく見えなくなったと言っても、さほど不便さに変わりはありませんでした。

目の見える主人と４歳になる娘の３人暮らしです。近くに両親が住んでいて、サポートしてもらっていますが、両親はとにかく心配性でどんなに説明しても、「娘を家から出さないのが一番だ」という考えを変えないため、両親のサポートを断ち切ろうとしていました。最近になって、ヘルパーさんを利用しはじめました。そこでみなさんに質問したいことがあります。

質問１は、目の見える人たちとの集いや食事会に目の見えない私が一人で参加したときの対応です。

周りの状況がわからず、話題についていけず、ただニコニコと作り笑いをして座っているのが苦痛です。孤独でたまりません。目の前の食事もよくわからないまま、隣に誰がいるのかもよくわかりません。

トイレに行きたくても声をかけるタイミングや、どうサポート方法を説明すればいいのかがわかりません。みなさんは、こういう場合に最低限の情報を教えてもらったり、サポートを頼んだりする人をどうやって見つけてますか？　また、話に加わるときにコツはありますか？

質問２は、親戚の子ども（小学１年女の子）などとときどき会うと、「これ見える？」と言って、私の前に手をかざしたりします。とても不愉快です。「見えない」と答えると、「じゃあ、これは？」と同じように物を顔の前に差し出したり、笑ったりしています。悪気はないのですが、こういったときにどのように対応するのが一番よいのでしょうか？

Aさんから……

私は、まったく視力がありません。私は、食事会で、ヘルパーさんにメニューを説明してもらうときに、アナログ時計の表示形式（クロックポジション）でどこに何があるのかを教えてもらいました。例えば12時の位置に煮物、３時に天ぷら、５時に味噌汁などなどです。

クロックポジション

日本点字図書館発行
リーフレット「いっしょに歩こう」より

ママ友については、周囲の人の会話を聞いて話せる話題があったら少しずつ話せばいいと思います。

子どもを通してのママ友の集まりなら、子どもの話をしてもいいと思います。

周りの方も、見えない私たちが気にはなっていても、どうしていいかわからないのかもしれません。慣れてくると、どちらもたいして苦にならなくなります。

私が参加する飲み会では、おかずをたっぷり取り皿に載せてくれる人もいます。トイレも誰かが「ちょっとトイレに」と言い出すのを待っていましたが、今では隣の人にこちらから言ったり、向こうから聞いてくれる人もいます。

親戚の子については、見えないことを説明するより、逆に親戚の子に見える物を説明してもらったらどうでしょうか？

Bさんから……

私は、まったく視力がありません。保育園や小学校に入ると、目の見えるみなさんとのお食事の機会はものすごく増えます。

私は、子どもが保育園時代は、できるだけ席が近くの方と積極的にしゃべるようにがんばりました。本当は黙ってたほうが楽なんですけどね。小学校からは人数も増えてさらに大変になるのですが、機会を見つけて、会話に少しずつ入るようにして、何とかやり過ごしました。

とにかく、大多数の方は私たちのことがまったくわからないので、向こうもどう接したらいいかわからないんですよね。黙っていると、そのままになってしまうので、できるだけ笑顔で参加する、そしてわからないことはできるだけがんばって近くのママに聞く、こんな感じでしょうか。一人で参加すると直接周りの人と会話することになりますが、ヘルパーさんと参加するとヘルパーさんを通して周囲の方の様子を聞くことになります。

私は、他のお母さんと距離ができるのがいやで、一人で参加しましたが、不安なら、ヘルパーさんにお願いして同席してもらうようにしている方もいましたよ。

次に、親戚の子どもの場合。小学１年生ぐらいなら、「目が病気で見えないから触っていい？」って言っちゃいますね。「どんなふうに見えないの？」とか聞いてくる子もいますが、わたしは全部説明してました。娘のお友だちのケースでしたが、そうやって説明してると、「ここ、危ないよ」とか、みんな親切に教えてくれるようになって、結構楽しかったですよ。子ども相手なら、楽しむのが一番。こちらが壁を作らないのがよいかと思います。

ちなみに、私はもともとそんなに積極的な性格ではないんです。ただ、堂々としてないと、娘が「ママはかわいそう」みたいに思うんじゃないかと心配で、かなり無理してがんばりました。

Cさんから……

子どもが遊ぶ約束をしたときは、その子どものお母さんとつながりを作るチャンスです。私の名前と電話番号、メールアドレスなどの連絡先を書いたメモや名刺を用意して、子どもが遊びに行ったときに渡します。遊んだ子のお母さんに連絡してもらえるようお願いをして、ママ友とつながります。

スマートフォンのLINE（ライン）の場合は、ニックネームで登録している人が多いので、本名がわからず、本文にも名前を入れてもらったり、スタンプは文字と違って、読み上げないものもあるので、解説もつけてほしいとお願いしましょう。

（2015年のＭＬ投稿）

イクメンパパのおしゃべり会

パパの悩みに「しゃべり場」（電話会議）に参加した複数のメンバーが応えてアドバイスしています。参加したパパたちは、視覚に障害のある方ばかりです。

Q：２歳児の男の子がいます。外遊びやボールを使った遊びってできますか？

A：お砂場セットを準備したり音の出るボールを使ったりして、目の見える近所のご家族や、園の友だち家族と仲良くなって、家族ぐるみで公園や広場に行ったりして一緒に遊んでもらいました。保育園には、私たち両親ともに視力がないため、園のほうで外遊びや自転車の乗り方、かけっこも教えてほしいとお願いしました。

Q：鍼灸の治療院をしています。ママやパパとは、どうやって仲良くなりましたか？

A：保育園では自分たちができる役員や係を引き受けて仲良くなりました。気持ち程度のお菓子やお土産などを、声をかけてくれた人にさしあげました。

　私も、マッサージなどの仕事をしています。集まる機会があると、タオルを持参してマッサージをしてあげたりしました。鍼灸の治療院をしているなら、治療代の割り引き券をあげたり、待合室におもちゃを置いて、そこでお宅の奥さんが託児サービスをしたら、お子さん同伴でも来られる鍼灸治療院になるから、それをきっかけに親しくなれるのではないか。

Q：子どもが３歳で、外出すると寝てしまい、抱っこだと白杖が使えなくなるので、何かよいものありませんか？

A：（３種類）

・ウエストポーチの上が平でしっかりしているもので、子どものお尻を乗せられるものがあります。

・抱っこ紐で、エルゴのベビーキャリアを使っていました。20キログラムまで対応できるので、今も病気で歩けないとき用に置いてあります。

・ベビーカーについては、目が見えないと使いにくいですが、何かのタイミングで、友だちに子どもの送迎を頼むこともあると思い、準備しました。今は、車に、６歳までチャイルドシートの使用が義務づけられているので、チャイルドシートにも代用できるタイプのアップリカのＡＢ兼用型のベビーカーを使っていました。夏は、底にひんやりシートを敷いて、地面からの熱をできるだけ遮断していました。また、雨を避ける透明のカバーの他、虫よけのレースのカバーもフル活用してました。

実家に帰省することがあって、両親の車に乗ることがあります。そのときは、警察でチャイルドシートを無料で貸してくださるので、前もって準備しておいてもらっています。

Q：３歳の娘は保育園ではトイレができるのですが、家ではうまくできません。

A：保育園の洋式トイレは子ども用に低くなっています。

家は大人の高さになっているので、台が必要だと思います。台の作り方は、牛乳パックの空いたものに新聞紙など入れて、それを9個、ガムテープでサイコロ型になるようにくっつけたら、台ができます。

Q：補助輪なしの自転車に乗る練習の仕方は？

A：

①親も見守りで同伴し、練習するところまでは自転車を押していきましょう。
30～40メートルの比較的平らな道路や広場で練習します。

②自転車に子どもがまたがって、地面に両足がつくくらいの高さに、サドルの高さを合わせます。また子どもがハンドルを握ってブレーキがかけられるか確認しておきます。

③ハンドルをしっかり持たせ、足で地面をキックしながら、進む練習を何周もします。この時、スピードをつけようと、後ろから押すと、恐怖心が出てしまうので、やめましょう。

④ハンドルの操作が、ふらふらしなくなってきたら、ペダルに足を乗せ、こぐ練習をさせてみましょう。これができれば、乗れるようになります。

⑤乗れるようになったら、安全のためにも交通ルールを守る約束をしましょう。スピードは出しすぎないこと、車や人が出てきそうな路の角や出入口などでは、必ず止まること、青信号になってもすぐには渡らず、必ず左右から何も来ないことを確認してから渡ること。

⑥自転車で接触事故を起こし、ケガや物が破損した場合、すぐに親に連絡し、警察を呼び、救護をすることを教えましょう。

（2014年開催の「しゃべり場」より）

第V章

小学生以降

この章では、小学校の入学準備のことや子どもたちの成長の様子、性をどう教えるか、そして、思春期の子どもに戸惑いながら寄り添っている体験談も集めました。
おわりは、ちょっとくすぐったいような子どもの目線から見た私たち（視覚障害のある）親の話にほっこりさせられたり、背筋を伸ばされる思いがするかもしれません。

初めての学校生活への不安

初めての学校生活に不安のあったＹ・Ｏさんが、しゃべり場（電話会議）で悩みを話し、それに対して複数のメンバーが体験談やアドバイスを話しました。そしてＹ・Ｏさんから、感想がありました。参加されている方は、Ｙ・ＯさんとＢさんは少し視力がありますが、他の方はまったく目の見えない方です。

Ｙ・Ｏさん：長女は４月で小学１年生、次女は、年少です。長女が入学して２か月たってようやく落ち着いてきました。

学校に関わることで不安があり、入学前に電話で教頭先生に相談できて安心していましたが、その教頭先生が転任され、引き継ぎもされておらず、集団登校の時間や場所なども連絡がありませんでした。

入学式のあと、担任の先生が家に来られて、母親の私が見えないので、連絡帳など読めないことや書いたりできないことを説明しました。

授業が始まってはじめのうちは、担任の先生に夕方電話をいただいて、配布したプリントの枚数と内容説明をしていただき、提出書類は、代筆で対応していただきました。５月くらいからはプリントを、子どもに読ませ、大事なことは先生から電話をいただいています。

算数の宿題は、子どもに読ませて間違いや正しいかがわかるのですが、平仮名などはどれくらい書けているのかがわからず、そのままにしています。今後、学校にお任せでいいのかどうか悩みます。

Aさん：会員のBさんとお電話でお話ししたときのこと、彼女は、読み書きもできていたので、小学１年生の子どもに、お母さんの手のひらに平仮名を書いてもらい、確認していましたが、だんだん先生のチェックが厳しくなってきて、字全体のバランスなど細かくなり、字の確認はできないと思ったそうです。また、平仮名や漢字の書き順が親の習ったものと違うものがあることを知らなかったとのことでした。

Cさん：書き順についての対応は、担任の先生によって違います。書き順については、習字教室などで習う方法もあります。学年が上がってくると、チェックが厳しくなり、ゼロ（0）の上をきちんと閉じてないと、減点対象になります。そして、正しい字を早く書くことが求められます。

Dさん：長女の名前の「ゆ」の字を、一画で書いたら、１回丸を書いたら切って、二画目を上から縦棒を書くように注意されました。その後テストで、「ゆ」の字を一画で書いてしまい２点引かれてしまいました。

Cさん：漢字の跳ねが（有るか無しか）や句読点や小数点の形も正しく書かないと間違いになります。これも筆記テストの受験対策

だと思います。

Y・Oさん：入学後、長女は学校で頑張ってきたストレスからか、家で男言葉を使ったり、次女をけったり叩いたりつねったりするので、注意すると逆に反抗してきます。クラスで席替えがあった日は、ピアノの先生を叩いたりして、私と長女とで言い合いになってしまいました。こんなときは、やはりそっとしておいたほうがいいのでしょうか？

Cさん：同じクラスに知り合いのママ友がいたら、その子にクラスの様子を教えてもらうのも一つの手です。

Y・Oさんの娘さんもすごく頑張っているので、そこを認めてあげるとよいと思います。

そんなときは、何を聞きだすというのではなく、「あなたもいろいろあるけど、頑張っているんだね」と言ってあげるだけで子どものほうから話してくれることもあります。

そっと抱きしめてあげたり、頭をなでたりしてあげるだけでも違うと思います。

Dさん：娘も保育園のときに園に行きたがらず、イライラしていることがあり、お風呂で、「友だちがしつこく仲間を作りたがって、私は他の子と遊びたくて、そこを認めてくれなくて困ってる」と、話してくれたことがありました。

Eさん：ふだんは普通にしていて、追及せず、お風呂に子ども１人ずつと親子で入る時間を作ったら、子どもから話し出してくれたことがあります。

Aさん：息子もしゃべらないほうで、帰宅時の様子で機嫌が悪いときもあり、すぐに原因を聞かずに「学校、疲れるよね」などと肩をなでたり揉んであげたら、子どもも親が自分の気持ちを少し理解してくれたと思ってくれたようでした。解決はしませんが、「お母さんはいつでも味方だよ」とメッセージを送った感じですね。

Y・Oさん：次女もべたべたしてきて、朝も夕も忙しいけど、ふだんはさりげなくして長女との時間を作りたいと思います。

Y・Oさんは、しゃべり場に参加して、大いに力づけられました。みんなで、おしゃべりするっていいですね！

(2017年開催の「しゃべり場」より)

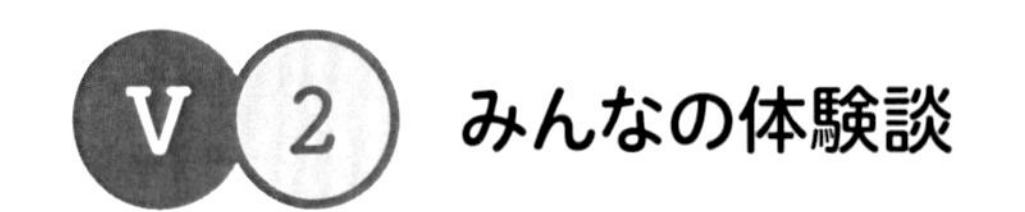

備えあれば憂いなし　　愛媛県　M・K

私の家族はまったく目が見えない主人と私、そして今年小学生になった娘の３人です。

入学準備については、早めに進めればそれほど大変なことではありません。ポイントは、

①必要な用品は早めに手元に揃える。

②お名前シールとハンコを用意する。

この２つに限ります。

①については、小学校での説明会の時に用品販売があったり注文用紙の配付があるので、その機会を利用すればほぼ揃います。袋物は、うちの小学校では大きな規制もないので、私は幼稚園のときに使っていたものをそのまま流用しました。

②についても、うちの小学校では注文できる用品の中にお名前シールもありました。子ども用品のお店や書店でも取り扱っています。これを注文すると、例えば「たなか　はなこ」と記入済みのシールが大小たくさん届きます。名前付け、特に算数セットのように細かなものについては、手書きするとなると、晴眼者であっても大変です。シールさえあればこれをペタペタ貼るだけなので、家族やヘルパーさんにしてもらうにも負担が少なくすみます。私はヘルパーさんが来るたびに少しずつやってもらいました。またハンコも作っておけば、計算カードなどの紙類には重宝しますし、長く使えて便利です。

あと、少し大変なのは入学式の当日です。健康診断の問診票やＰＴＡの役決めについてなど大量の書類が配られ、体操服のゼッケンや帽子の校章も早急につけなくてはいけません。「明日提出してください」というものは少ないですが、私はその日に一気に片づけました。これはヘルパーさんが２人がかりで手伝ってくれたおかげです。入学式当日は、家族やヘルパーさんに余裕をもって時間をとってもらっておくといいと思います。

娘が小学生になって、私にも少し変化がありました。それまでご近所づき合いはほぼなかったのが、朝、見送りに出たときに登校班のお母さんと立ち話をするのがちょっとした楽しみになりました。地域の子ども会は、お祭りの前後くらいしか集まりがありませんが、準備をしながら雑談したり、周囲から聞こえてくる声などで、地域のことや小・中学校の情報などを仕入れています。

参考：算数セットや引き出し、粘土などの重い荷物を入学式の日にできるだけ親が持って行きましょう。子どもの負担が軽くなります。

（2014年11月発行の新聞より抜粋）

長女の小学校入学　　福岡県　Ｙ・Ｃ

わが家は、まったく目が見えない私と光を感じられる程度の夫、障害認定は受けていませんが、発達に遅れのある小学校１年生の長女と、３歳の保育園通園の長男の４人家族です。

長女は、今年４月に、家から20分くらいの小学校に入学しました。いざ学校通学が始まると、通学の問題、担任との連絡、プリントの確認、ＰＴＡとの関わりなどなど、課題が続々と出てきました。

まず、通学についてです。長女は２年から２年６カ月ほど発達が遅れている、と言われてきています。福岡では「就学相談」という制度があって、就学の前に「福岡市発達障害者支援センター」で相談を受け、どの程度の特別支援が必要なのかを審査して、特別支援教育措置が決まります。長女はこの就学相談を受けて、近くの小学校にて特別支援学級に在籍することになりました。

いざ、通学が決まると、第一に、一人での通学ができるかという心配が浮き上がってきました。普通のお母さんであれば、娘がある程度慣れるまで送り迎えをして練習をさせると思いますが、わが家の場合、母親である私がまったく目が見えず、光を感じられる程度の夫は仕事の都合でも送迎ができないため、子どもたちの学校と保育園の送迎は私一人でしなければなりません。しかし、３歳の長男が今年保育園に入れなかったため、４月と５月は幼稚園に通っていましたが、幼稚園の開始時間は９時からである一方、長女の小学校の登校時間は８時、これだと私が一人でがんばって送ったとしても、娘を送った後の１時間を、息子とどこかで過ごさなければならないということになります。まったく目が見えない私が毎日、幼稚園開始時間まで外で１時間過ごすことは大変難しいです。

昨年までは保育園の送迎については、ホームヘルパーの家事支援の育児支援としてヘルパーさんにお願いすることができましたが、区の障害福祉課や福岡市の担当部局に問い合わせたら、小学校からは育児支援は当てはまらないということです。

しかも、私の同行援護制度を使って私に子どもを同伴しての学校の送り迎えはできない、それに特別支援学級に在籍している長女に対しての通学支援はまったくないとのことです。幸い、隣の子どもが同じ学校の５年生だったので、登校は隣の子にお願いすることができましたが、下校が問題です。私が仕事をしていることもあって、学校の授業が終わった後、留守家庭（学童教室）に行かせていますが、留守家庭の先生と娘の下校について何度も相談しました。その結果、４月いっぱいは、下校時に留守家庭の先生に交代で見守っていただくことができました。集団下校ということもあり、１学期中は何とか通学ができていますが、心配が払拭できたわけではありません。

次に、学校との連絡ですが、これについては入学時から担任の先生と何度も打ち合わせをして、メールまたは電話で連絡をいただきたい旨を伝えましたが、担任の先生はその場では「メールを送ります」とか「その都度連絡します」などとおっしゃりながら、連絡がなかなかうまく取れていない状況です。このような事情を学校の教頭先生などに相談してもなかなか改善に至らないため、２学期からはより頻繁に学校に出向いて、先生とコンタクトを取る方法を模索しているところです。

最後になりますが、初めての子どもの学校の１学期を過ごしたところで、夫婦とも重度視覚障がい者である私たちとしては、いくつかの問題点があることに気づきました。

１．障がいを持つ親としてその育児の際、子どもを連れての学校や保育園、その他子どもの用事に障がいを持つ親の支援制度を利用できないこと。

２．だからといって、両親が障がい者である子どもに対する支援がまったくないこと。

３．学校との連絡のやり取りは学校の協力がない限り、障害者支援制度のホームヘルパー制度だけではまかなえないこと。

4．ひらがなや漢字などの字の練習に視覚に障がいがあることから、子どもの学習の親としての支援ができないが、これに対する支援制度がないこと。

以上、悩みばかり羅列しました。

（2013年9月発行より抜粋）

わが家の長女　　佐賀県　Ｔ・Ｓ

わが家はまったく目が見えない夫婦、そして小学２年生になる８歳の長女Ｍと３歳になったばかりの次女Ｙの４人家族です。

長女は先天性白内障だったため、生後３カ月で手術をしました。分厚い眼鏡をかけているのですが、たくましいというか、そんなことはものともせず、自分からどんどん人に話しかけていくような子です。

幼稚園は年中さんから通うようになりましたが、そんな性格が幸いしたのでしょうか？　すぐに仲良しのお友だちができました。

そして小学校入学。幼稚園から一緒だった２人の子どもと同じクラスになりましたが、ここでも同じ学年にすぐ新しいお友だちがたくさんできたようでした。

毎日学校から帰ってきては、お友だちと遊んだことやけんかしたこと、眼鏡のことで上級性にからかわれたとき、お友だちに慰めてもらったことなどを話してくれました。お友だちが持っている学用品やおもちゃ、自転車などをほしがるようになり、さすがに幼稚園のときに比べると手をやくことも多いですが、同時に長女の確かな成長ぶりを感じています。

遊びも小学生になると幼稚園の頃より運動量が増え、長女は屋外での遊びの経験が少ないこともあって、鬼ごっこをしていて転んだとか、何かにぶつかったとかということを聞く機会が増えてきました。目のことを心配して、長女には屋外遊びではヘルメットをつけるようにしていましたが、格好を気にしてか、あまりつけてなかったようです。

現在、２年生も残りわずかとなり、体力がずいぶんついてきたらしく、転んだとか、ぶつかったとかということは少なくなりました。一方、昨年の８月にはついに念願の自転車を手に入れ、行動範囲がますます広くなりました。この頃では学校から帰ったと思ったらすぐに飛び出し、公園でお友だちとすべり台やぶらんこの立ち乗りなどをしているようです。家ではクリスマスにサンタさんからもらったタマゴッチＩＤをピコピコやっていますが、妹の面倒もよくみてくれています。

「今、学校でどんな遊びがはやっているの？」と聞いてみると、「なわとびで『お入りなさい』をしたり、大縄で遊んでるよ」とのこと。「なわとびで前飛びが150回飛べたよ」などと報告してくれます。

これからも明るく元気に、お友だちとのいろいろな遊びを通して成長していってほしいと願っております。

(2010年2月発行より抜粋)

娘の成長　東京都　Ｒ・Ｆ

わが家は、まったく目が見えない夫婦、同じく目が見えない長女（６年生)、目の見える次女（４年生)、そして、私のアイメイト（盲導犬）の４人と１頭の家族です。

私たち障害者が子どもを産むことについて、人の数だけ考え方があると思います。子育ての不安、遺伝の心配などさまざまでしょう。わが家も12年前、前述のことに不安を抱いていた一組の夫婦でした。いろいろと調べ、話し合い、そして長女を授かりました。わが子の健康を願わない親などいるはずがありません。

生後２カ月の検査で、目の障がいがあると聞かされたときのことは、今でも鮮明に覚えています。しかし、不思議と涙は出ませんでした。娘の目の病気は癌でしたから、とにかく命を救わなければ。命と引き換えに、視力が失われるのは残念なことだけど、とにかく生きてほしいという思いのほうが、ずっと強かったからだと思います。

目の治療のため、入退院を繰り返しながら育児が始まりました。視覚から刺激を得ることのできない長女は、おもちゃも食べ物も、決まったもの以外はなかなか受け入れてくれませんでした。

離乳食を例にとってみましょう。目の見える赤ちゃんは、食べたいものや、おいしそうに見えるものに興味を示しますが、目の見えない子は、口に入れて初めて、食感や味を知ることになります。慎重になったり、時には恐怖から、新しいものを拒絶したり、好きなものばかりに固執する面が多々見られました。そんなわけで、彼女が食べられるもの、遊べるものなどを増やしていくためには、多くの時間と根気が必要でした。

８カ月で、保育園に通い始めてからは、やはり、なかなかお友だちにとけ込めなかったり、先生に特別扱いされ、自分でできることが増えなかったりなどということもありました。年齢が上がるとともに、自我も芽生え、お友だちとのかかわりを持ったり、ゲームの仲間に入りたくて、視力がない自分にもできるルールを提案したりするようになりました。目のことを言われると、「病気なんだからしょうがないじゃん」と言い返すたくましさも身につけてくれました。今も家族ぐるみのおつき合いが続いている保育園時代のクラスメイトに恵まれて、この時期の彼女の成長がありました。

小学校は、都内の盲学校に通っています。低学年の頃は、地元学区の学童にも、放課後通いました。上級生の男の子から、目のことをからかわれたりしたこともありましたが、友だち大好きな彼女は、みんなと一緒に遊びたいという強い思いから、一輪車をマスターし、当てられるばかりのドッジボール大会にも積極的に参加しました。一人でできることが増え、子どもなりに、生きていく強さを身につけていること、とてもうれしく思う反面、この先もどのように彼女の障がいと向き合っていこうかと考えさせられる瞬間でもありました。

私は、同じ目に障がいを持つ立場として、娘に何かを教えようと考えたことはあまりありません。日々の生活の中で、障がいとうまくつき合う方法のヒントとして、私の言葉や行動が、彼女の役にたてればよいなと思っています。

最近では、点字の速さの競争をしたり、点字のトランプや、サウンドテーブルテニスを一緒に楽しめるようになりました。なんだか、同じ障がいを持つ友人のような錯覚に陥ることがときどきあります。本当の意味で、子どもの障がいを受け入れる日が近づいているのだろうかと感じる今日この頃です。障がいの有無にかかわらず、わが子を困難から守ってあげたいというのが親心だと思います。

しかし、子どもに障がいがあるゆえに、自立し、私たち亡き後も、自分の足で歩いていける、その導きをするのが、親の役目なのではないかと私は考えています。私の両親がそうしたように、私も娘との時間を大切に、彼女と前に進んでいきたいです。

（2014年2月発行の新聞より抜粋）

性について話してみよう

女性ならではの悩みの解決法あれこれ

女性の体のことなど、しゃべり場に参加したメンバーが悩みを交換し、体験談やアドバイスがいっぱいです。
参加者全員、視覚に障害のある女性陣。

Q：今は息子が幼いので一緒に女子トイレに入り、水を流すボタンやペーパーの位置など教えてもらえるが、成長したらどうしたらいいか？

A：多目的トイレを利用したり、近くにいる同性のトイレ使用者に誘導依頼するとよい。出かける際は多目的トイレがある駅や、デパートなどの場所の確認をするといいです。

※多目的トイレ：車いす使用者が利用できる広さや手すりなどに加えて、オストメイト（癌や事故などで消化管や尿管が損なわれたため腹部などに排泄のための開口部を増設した人）対応の設備、おむつ替えヒート、ベビーチェアなどを備えることで車いす使用者だけでなく、高齢者、内部障害者、子ども連れなどの多様な人が利用可能としたトイレのこと。

Q：小学高学年の娘が、ブラジャーをつけたがらないのですがどうしたらいいですか？

A：中学になると周りの子の影響で自然に自分からほしいと言うから、それまで見守っていればだいじょうぶです。

Q：娘が生理のとき、夜などナプキンから漏れてしまうのですが？

A：自分の場合は、ナプキン一枚で何時間くらい持つのかを試し、月経血の量が多いときにはその時間に合わせて交換するように教えてみました。長時間取り替えられない場合は、血液が漏れないようにパンツ型のナプキンもあります。

その他に洗って繰り返し使える月経カップ（タンポンのように、膣に入れて使うシリコンのカップ）もあります。漏れるのが心配なら、ナプキンも併用してみましょう。

布団には血液が漏れてもいいように、おねしょマットを敷いておくのも良いでしょう。

Q：私が生理のとき、トイレやお風呂に子どもと一緒に入ります。出血するのを見て、驚いている子どもたちにどう説明したらいいでしょうか？

A：お風呂などで出血を見て「ケガしているの？」と子どもが心配してきたときに、「これは、大人になると女の人が赤ちゃんを産むために毎月１回１週間くらい出血するときがあるんだよ。だから心配いらないよ」と伝えました。

女の子の身体は、大人の準備ができると生理が来て出血するのでナプキンを使うこと。ナプキンの取り換え方だけでなく、ナプキンの捨て方も教えます。ナプキンは、必ず汚れているところを内側に巻いてから、ナプキンの包み紙や、トイレットペーパーでさらに巻いて、蓋のあるゴミ箱へ捨てること、便座や便器の外側に血液がつくことがあるので、トイレットペーパーなどで拭きとることなどを説明しました。幼稚園くらいから教えてもだいじょうぶです。

Q：男の子にも教えるの？

A：もちろん、教えましょう。お父さん方も、お母さんが生理で体調が悪いときは「優しくしてあげないとね」とか「イライラしているのは生理が来るから仕方ないんだよ」などと説明します。

男の子も女の子とつき合うときには、知っていたほうがいいいと思います。

小学校で修学旅行前に男女別れて先生から性についてのお話があったり、女の子は、友だち同士で「生理が来た？ 来ない？」と話したりします。

小学生の性教育で、「たくさんの精子の中で一番早く卵子に入った精子が赤ちゃんになれるから、ここにいるみんなは一番になった子なんだよ」と言われ、自分は一番だったんだと思えたことを覚えています。学校の保健室の先生も相談に乗ってくれます。

（2016年開催の「しゃべり場」より）

子どもの思春期

子どもが成長してくると想像もしない出来事を体験することになります。相談員に寄せられたエピソードと新聞からそれぞれ３つずつ選びました。とてもつらい体験でも先輩たちが乗り越えてきたお話を読んで、みなさんは、落ち着いて対応できればきっと乗り越えられることを信じてください。

自分の体を傷つける娘　S・S

娘が中学２年の頃のこと。イヤホンで音を大きくして聞いたり、暗いところで本を読んだり、ゲームをしていました。まったく目が見えない母親の私は、娘に「耳や目が悪くなるからやめなさい」と注意しましたが、なかなかやめませんでした。その後、どうして耳や目が悪くなるようなことをするのか聞いてみました。

娘の答えは、「学校で他のグループの子たちが人の悪口を言っていても他の子は気にならなくて、自分だけはとても気になってしまうこと、人が嫌がることを他の子がしていても周りは気にしていなくて、自分はとても気になってしまうから、それが聞こえたり見えたりしないようになりたくて、わざとしている」と。「それと家ではいろいろ頼まれるのも負担だったから、現実逃避したかった」ということでした。

私は、とても心配になりました。娘の現実逃避したい気持ちもわかるけど、目や耳は一度悪くなると、なかなか元には戻らないことを伝えました。その後、家のほうは、同居の義父の癌が進行し葬儀などもあり、娘のことは、そのままになってしまいました。

しばらくして、今度は娘が「まゆ毛が抜けてしまった」と言い出しました。話を聞いてみると、ストレスで無意識のうちにまゆ毛を抜いてしまったようでした。ママ友に相談してみたところ、男の子でもストレスで眉を触っているうちに抜いてしまって、眉毛のない子が何人かいると聞きました。これは癖になるようで別のストレス解消法を見つけられると収まるのだそうです。小さい頃から爪を噛んでいた娘の爪を、最近触ると伸びていたので、てっきり噛む癖が治ったと思っていたのですが、眉毛を抜くことに替わっただけだったんだということがわかり、娘の様子に気づいてあげられなかったことを反省しました。娘は前髪で眉毛を隠してその後も登校していました。

そして、娘は中学３年になりました。高校受験が迫り、家では用事を頼まなくなったこと、友だちとのもめ事も減り、本人の志向も別の方向へ行き、ストレスも減ったようで、大きな音でイヤホンで聞くことは減りました。本人が自覚しないと治らないのかなと感じたので、そのまま様子を見ていました。

今、娘は高校２年になりました。スマホのやりすぎで視力検査でC判定を受けて眼科で乱視の眼鏡を作りました。眼鏡生活を経験し、今となっては、娘は後悔しているようで、これ以上進まないように、ときどき眼鏡をはずして遠くを見るようにしたりして、気をつけています。

(2017年　相談員に寄せられたお話)

私の習い事への関わり方　　A・K 

私は、大阪在住の視覚障害１級、ほぼ視力がない視覚障害ママ

(50歳代）です。家族は、視覚に障害のないサラリーマンの夫（50歳代)、24歳で社会人の娘、22歳で大学４年生の息子の４人家族です。仕事は、音声起稿師（テープ起こし）をやりながら、視覚障害者の方々にパソコンを教えています。パソコンインストラクターです。息子を出産後、視覚障害者になりました。

かるがもの会に入会したことを娘に話すと、「ママ、視覚障害の親の子どもって、どんなふうに感じて、どんなふうに思って、どんなふうに暮らしているのか気になるの」と言いました。かるがもの会の会員は日本全国に散らばっているので、一同に会するのは難しいかもしれないけれど、かるがもの会の子どもたちが集まって自分たちの親への思いを話し合える、そんな企画がいつかできればいいなぁと今も思っています。

さて、一つの体験談ですが、子どもたち２人でたくさん、習い事をしました。

柔道・剣道・空手・スイミング・英会話・公文・そろばん・塾・ボーイスカウトにガールスカウト。もちろん、とっかえひっかえなので全部まとめて一度に習っていたというわけではありません。

上の子が習うと下の子も習いたがる。下の子には我慢させて、我慢させて限界に来たときに習わせる。そうすると、下の子は大喜びでやりたかった根性が爆発し、上の子よりもその習い事に対して極めることができ、強くなる。なので、同じ習い事をさせると下の子のほうが上手で、上達も早かったような気がします。

私は目が不自由なので目が見えるお母さんのように勉強を見てあげられないし、スポーツも教えてあげられないので塾や習い事に頼ったという次第です。塾関係では、私が目が見えないのでつき合ってやれない家庭学習もあるため、できるだけ個別指導の塾に入れました。こちらの希望する科目や勉強を見てくれるからです。当時は家の周りにたくさん、個別指導の塾があり、月謝などで選び放題でした。

体育会系はお月謝も専門の道場などではなく、小・中学校の体育館などを借りてやっているのでとてもチープでした。お姑さんが、孫たちには何でも習わせて、何か一つ、自分に残る物ができればよいと言って援助もしてくださったので、これだけできたのだと思います。お道具などはすべて、お姑さんが買ってくださいました。恵まれていましたね。感謝です！

ちなみに、それぞれ極めた習い事は、娘が剣道と英会話。息子が剣道とボーイスカウトでした。ボーイスカウトでは今も小学生スカウトのリーダーをやっています。娘はプロの通訳目指して働きながら学校で勉強中です。東京オリンピックで働くことを目指して。

体育会系の習い事は小学校の入学式のときに校門でチラシを配っていて、説明会と見学会がありました。一番心配だったのは、剣道と柔道の習い事には保護者会があり、すべての保護者に交代で役員が回ってきます。学校のＰＴＡのようなものです。各子どもにつき１回。稽古場の手配をしたり、鍵を開けて準備をしたり、お茶当番をしたり、月謝を集めたり、日報を書いたり、名簿を作ったり、試合や級・段審査のお手伝いなど、他の会場や道場へ行くことも多々ありました。どこまで、目が不自由な私がお手伝いできるか？ お手伝いできないことで子どもたちがその習い事を辞めさせられたりするようなことはないか？ ということがとても不安でした。そう思いながら通わせた何年間か……。

役員は高学年のお母さんから順番に回ってきます。娘が小学５年生になるときに私に回ってきそうだったので、少し前に役員会に出席させてもらい、役員さんたちと先生方にありのままの自分の状態を伝えました。とても勇気がいりました。私は、当時は仕事をしていなかったので役員の仕事をやりやすいけれども、目が不自由なので書いたり、計算したり、とにかく目を使う仕事はできないということを伝えました。おまけに、まだ当時、私はパソコンもできませんでした。

役員には会長・副会長・会計・書記・会計監査がありました。どちらの習い事も良心的で、私が役をやりたければやればよいし、どうしてもできなければ、会長さんから私の障害のことをみなさんに説明してくださるということでした。これも、私が自分の障害のことを勇気を出して話したからかもしれません。私は、「自分の今の見え方でできるお手伝いをさせてください」とお願いをしました。小学１年のときから２人もお世話になっていて、やはり、自分も見えなくても恩返しをしたいと思っていたからです。先生方は、私ができないことで子どもたちでもできることは子どもたちにやらせればよい、そうすれば子どもたちの社会勉強にもなる、と快諾してくださいました。

ということで、私に回ってきた役は副会長。書けなくても、会計処理や書類に目を通すことができなくてもしゃべれるし、アイディアを出すことはできるでしょうということで。なので、役員会をはじめとする会合や先生方との忘年会や新年会、すべて参加しました。白杖をついて試合の打ち合わせや会合など、他の道場へも出かけました。そのうちに他の役員さんが私をサポートしてくれるようになりました。何か月かつき合っていると私の見え方やできること、できないことをわかってくださり、いろいろな面で助けてくださいました。そして、これなら私にもできるだろうという仕事を与えてくださり、他のお母さんたちとも仲良くできました。うちの子どもたちをはじめ、私ができなくて困っていることがあれば、「おばちゃん、僕たちが手伝うよ」と言って助けてくれたりもしました。一番、うれしかったのは「僕、おばちゃんの代わりに見てあげる。目になってあげる」と言ってどうしても読まなければいけない書類を読んでくれたことです。うちの子どもたちよりも他の子どもたちのほうがたくさん、助けてくれたりして。私を教材に、子どもたちが目の不自由な人たちにはどのようなことをすれば喜んでもらえるか、どのように話しかければ助けてあげることができるか体と心で学んでくれたような気がします。ほんと、みんな、優しい子どもたちでした。先生のおっしゃった、「子どもたちの勉強になる」ということは本当だったんだと感じるとともに、とてもうれしくなりました。

結局、剣道と柔道で2人分。計4回、役員をさせてもらいました。最後は会長です。「ベテランだし、喋ることは誰にも負けないでしょ！」ということで。そして、私の子どもたちも私が役員をして行事に参加することをとても喜んでくれて、私の手を引いてよく道場や試合会場へ行ってくれました。どうしても車でないと行けない試合会場へは私も主人も行けないときには他のお母さんが喜んで、車でうちの子どもたちを試合へ連れて行ってくれました。

もちろん、よいことばかりではありません。役員として私のできる仕事がないとき、椅子に座ってじっとしている（ウロウロすると危ないし邪魔になるから）など自分が見えないために何もできないことが辛かったです。「あそこの道場の役員、何もしないで座っているだけ」と、事情の知らない他の道場の役員さんに思われていたかもしれませんね。仕方のないことなのだけれども。それから、娘や息子の戦う晴れ姿が見えないこと。どれが自分の子だかわからない。でも、息子は「ママ、俺、どこで戦っているかわかるようにめちゃ、大きな声を出すからね」と言ってくれて、ものすごくうれしかったです。

最後に。私が視覚障害者ママとして地域の人たちとつき合うときに心がけてきたこと。それは……、自分が見えないということと、何ができて何ができないか、どこまでできるかを恥ずかしがらないでしっかりと相手に伝えること。そうすることで相手も私のことが理解できるし、力を貸してくれる。これで、自治会の役員もできました。力を貸してもらうためには、「助けてあげるよ、手を貸してあげるよ」と言われる人間になること。自分はまだまだだけど、いつもこのことを忘れないで生きていきたい。人は一人では生きていけないということを実感しながら毎日を過ごしています。

（2017年　相談員に寄せられたお話）

共に　　S・K　　相談員

私は現在は、４人の娘の母です。まったく視力はありません。娘２人が小さい頃離婚し、10年ほど母子家庭になり、精神面や経済面など大変なことが多々ありましたが、実母をはじめ、ヘルパーさん等のサポートを受けながら悪戦苦闘し、子育てをしてきました。父と母の両方をしなければと思う気持ちと、障害があっても障害のない保護者よりさらに子どもたちのためを思う気持ちで必死でした。子どもたちにたくさんの負担をかけていたと思います。しかしそんな中でも３人で電車に乗り遊びに行ったり、子どもの誕生日には、３人で壁や天井を飾りお祝いをしたりと、楽しく生活をしていました。

長女が中学校１年生の夏休み中、突然部活の練習に行かず、また２学期に入ってからも、どうにか家を出し登校させたと思うのも束の間、先生から「来てません」と電話が来る日々が続きました。

その後、いじめが原因で学校に行けなかったことを知り、無理矢理行かせていた自分を反省しましたが、知らないときには、世間の目と娘に対してのイライラで、どうしたらいいのかわからなくなりました。

私は、子どもたちにとって住みやすい家庭づくりができているのか、子どもたちのことを考えず親のエゴで行動をしているのではないかなど、考えました。わが子が一番辛いにもかかわらず、その事実を受け入れることができず、私自身精神的に辛くなり、勇気を出してメーリングリストに投稿しました。

すると直後に、数人の方から連絡をもらい、友だちの体験談なども含め、話を通し励ましてもらったり、自分の子どもの体験を通して何か手伝いができることがあればと言ってもらいました。

今は辛くても、私が壁を乗り越え、同じ経験をした方と出会った時、今度は私がその方の力になってあげようと、心に誓いました。今、治療院をしていますが、不登校のお子さんがいらっしゃる患者さんのお話を親身になって聞かせていただいています。

娘の不登校で精神的に辛かったとき、心理カウンセラーの資格を持つ友人が、相談に乗ってくれたり、気分転換にと遊びに連れて出かけてくれたりと、私たち親子の力となってくれました。子どもたちも私以上に、その友人に学校の話や将来のことなどを話をするようになり、懐いていました。そして、その友人にお世話をしてもらい、長女はフリースクールにも休まずに行き、中学校の卒業式は、みんなと同じステージで、賞状をいただくことができました。

その後、娘のことを通じ、私の精神面でも支えとなっていた友人と再婚することになり、娘が２人を結びつけてくれたのかなと思っています。もう二度と結婚をすることができないとあきらめ、女性と言うより２人の娘の母として生きることしか考えていなかった私が、その後さらに２人の娘を授かり、今では４人の娘の母として、また妻として、充実した毎日を過ごしています。

（2020年　相談員に寄せられたお話）

信じてる 遊びの力をバネに　高知県 Y・F 

一人娘は中学２年生。演劇部の仲間と４人で泊まり込みに行くと言って出かけた。

今日は静か。

私は、まったく目が見えません。妻は、健康です。

小学校低学年の頃までは、娘は、登山やシュノーケリングなどお供してくれた。農協から借りている畑も「お芋ちゃんがいっぱい」と言って掘って遊んだ。しかし、３年生くらいからは「お父ちゃん、そんなに行きたけりゃ一人で行ったらいいじゃん」と言ってまったく遊んでくれなくなった。

娘は、演劇をしたくて、クラブ活動に力を入れている中高一貫の私立校へ入った。

そしたら一変、それまで近所の子たちとのつき合いだけであったのが、「○○先輩」「○○部長」など、世代を超えた関係、電話やメル友へと広がっていった。

家に帰ってからの話は、ほとんど演劇部のことばかり。いったい何しに学校へ行っているんだろう。

さて、さすがに演劇をしているだけあって、気に入らない時の悪態をつくのもうまい。音声を公表することができるなら、ユーチューブにでもアップロードしたい。

親に向かって「こら～っ、ボケ～っ、わからんがかぁ」と、土佐弁交じりで悪態をつく。

７月にセキセイインコが３羽生まれたばかりだが、親子５羽揃ってよく鳴いて驚いている。パソコンの音声も聞こえなくなるほどだ。そのうえ、芝居の練習が入る。ウルサイ！　たまらん！

さて、この夏、世の中では、いじめ自殺事件がクローズアップされ、親や学校関係者を不安にさせている。娘の学校でも、子どもたちの間でいろいろあるに違いない。その点、娘はクラブの仲間の支えが大きな力となっている。そして、娘に人間力をつけてくれたのはいうまでもない。

最後に、テストをするのが好きな学校であるが、当の本人はほどほどしか勉強しない。見ている周りがジリジリ焦ってくる。まあ、いい。その遊びで充電した力をバネに、高く飛び立ってくれ。父との強い絆があるのだから。

(2012年11月発行の新聞より抜粋)

反抗しながら育つ時期　　神奈川県　M・K

私は、まったく目が見えません。わが家には、大学１年生を頭に５人の男の子がいます。５人も育てていれば、いろんなことがわかっていると思われそうですが、一人ひとり考え方も、やりたいことも違うので、楽しませてもらったり悩ませてもらったりしている毎日です。共通して感じているのは、家の中で遊ぶことが多すぎること、自己中心的になりやすいことなどでしょう。息子たちは何時でもゲームばかりしていて、「手伝って」と頼んでも、「今忙しい」「めんどい」、他の兄弟に「お前、やれよ」となすりあいになります。そんなとき、「家族で助け合わなきゃ」とか、「今のうちに覚えておかないと、困るのは自分だよ」と、つい怒鳴ってしまいます。でも、そんな言葉は響いていないようです。

思えば、私も親に何か言われても素直になれず、あれこれ理屈をこねてばかりいたので、いまどきの中高生っていったいどんなことを考えているのかと気になっていました。でも、フルタイムで働いている私には、しゃべったり一緒に出かけたりするお母さん仲間が少なく情報不足でした。

そんなとき、たまたま深夜のラジオから聞こえたのは、「ヤンキー先生！ 義家弘介（よしいえひろゆき）の夢は逃げていかない」という番組でした。中・高・大学生からの率直で、生々しい相談の電話を聞いて、眠れないほどショックでした。いじめによる転校、薬物、中学生の妊娠、不登校、自殺を考えてしまう、などなど。私も、それらから目をそらしてはいけないと感じました。

とても恥ずかしい話ですが、わが家の子どもたちも不登校の時期がありました。今も中学３年の三男の不登校に悩んでいます。でも、親が何をいっても、本人には改善しようという意識が見られません。夜中にゲームやパソコンを楽しみ、昼間は起きられないという、昼夜逆転の生活をしているのです。

上の２人も、理由は違いますが、似たような時期がありました。学校から連絡を受けて、昼休みにたたき起こしに職場から帰って、私自身は食事も取れずに夕方まで仕事をする日々が続きました。

長男の場合、高校受験を考えはじめた中学２年の頃、担任から薦められた高校の説明会に行って、「こんなところへ行ったら、大変なことになる」と焦りを感じたようで、問題集を読みあさったり、模擬試験を繰り返したりしながら、成績を上げていきました。そして、先生たちが心配して「そこは今の成績では難しいから」と止めた高校に無事入ることができたのです。

次男の場合、あこがれていた部活で挫折してから不登校になり、進級前に、校長先生との面談まで受けてしまいました。本気で勉強を始めたのは、３年生になってからで、きっかけは、ノートなどを貸してくれたクラスメイトに、「このままでいいの？」と言われたことからのようです。そして自転車の競技に興味があり、どうしても高校の部活は自転車競技部に入りたいという思いが強くて、自分から塾へ行きたいと言ってきました。そして今は希望した高校で、県代表にも選ばれ、全国大会にも行ったりしています。寝る時間もおしんでアルバイトでお金を貯めて、競技用の自転車やユニホームも買いました。

どんな子にも無限の可能性があって、夢が叶えられるかどうかは、自分の気づきや努力、そして周囲のサポートなのかなと思っています。

私は子どもたちに辛い思いをさせてしまって、立派な親にはなれないけれど、時には親として叱り、時には同じ目線で話し合いながら暮らしていきたいと思っています。

（2010年４月発行の新聞より抜粋）

先日のこと　　埼玉県　Ｙ・Ｍ

私たちは、まったく目が見えない夫婦です。

三女は運動が大好きで、地元の少年団で女子サッカークラブに入っていました。お母さんたちが順番で車を出したり麦茶を作ったり、時にはおにぎりとかとん汁まで作って行っていました。最初、私が一度だけ応援に行ったのですけれど、みんなからお客様扱いされてずっと、椅子に座っていました。食べるものを最初にもらい、「暑くないですか」とか、「寒くないですか」とかすごく気を遣われて過ごしました。そんなこんなで弱虫な私は、仕事もしていたこともあって、すっかりみなさんにお任せしっぱなしでした。

先日、子どもたちと話をしていたときのことです。三女が幼い頃の写真を見ながら言いました。

「みんなはごはん残したらおかあさんに食べてもらえるけど、『私は全部食べなくちゃ』と、泣いたことあったっけ」

「雨のときさ。荷物多いとき、みんなはお母さんが持ってくれるけど、私、くつに着替えにダウンコートにかっぱに傘まで持ってて、雨と一緒に泣いたっけ」

「お昼もお母さんいないから、朝の野菜炒めの残りを食べていたら、お姉ちゃん寝てるし、いやだったね」

「靴下があんまりきれいになってなくて、みんなのすっごくきれいで。だから人の靴下は見ないようにしてたけど」と、こんなことを言っていました。

「ごめんね。こっちゃん。３年生から６年生までよくがんばったんだね」

もう168センチにもなったこっちゃんの頭を、いい子、いい子して、だっこしてあげました。そしたらお返しにおんぶしてもらえましたよ。

「ごめんね、こっちゃん」って頭の中では言っていて、口では「きゃあきゃあ、怖いよ」って大騒ぎしていました。

（2011年4月発行の新聞より抜粋）

子どもは視覚障害のある親をどう見てる？

何人かの子どもたちに「視覚障害のある親についてどう思っているか」を書いてもらった文章です。

私のお母さん　　東京都　M・I（中学３年生）

私のお母さんは優しい人で、厳しい人で、怒ると怖い人です。でもいつもは優しいです。いつもは怒ってません。

お母さんは目が見えないけど、歌が上手です。私の通う学校の合唱隊に参加しています。

パソコンのキーボード打ち込みもすごく速いです。「やるときはとことんやる」、そんな言葉が当てはまる感じ。料理上手で、たまに会社の人たちにも手作り料理を持って行ってます。

揚げ物をしていて、火傷をするので、そのときはハラハラします。

一緒にテレビを見たり、映画に行ったりすると、とっても楽しいです。

「本当は目が見えているのでは…？」と思うときもあるけど、壁にぶつかったりしていると、「見えてないんだなぁ……」としみじみ思います。

そんなお母さんと一緒にこれからも仲良く暮らしていきたいです。

（2007年4月発行の新聞より抜粋）

大好きな母　　神奈川県　M・Y（小学校５年生）

母は、どうして目が悪くなったのだろうと思ったことがあります。理由はあまりわかりません。だけど目が悪くなると大変だと思いました。自分で何かをやろうとしても、目が悪くてはできる範囲でしかできません。だから、私は今、がんばっています。

母が、「何かを読んで」とか、「書いて」とかと言うと、私は素直に言うことを聞かなければなりません。しかし、母に私が、「服を買って」と言うと「いつもがんばってるから買っていいよ」と言ってくれます。私は、母のそういう優しいところが大好きです。しかし、母は目が悪いのですが、耳はとてもいいので、私がいたずらをすると、足音ですぐわかってしまいます。だから、やたらには、いたずらができないので、母の前ではいつもいい子にしていなければいけません。だけどそういう母も、大好きなので、これからも、母のガイドヘルパーや、ホームヘルパーを頑張っていきたいです。

(2007年4月発行の新聞より抜粋)

お父さんの目が悪くてよいこと悪いこと　神奈川県　A・Y

ぼくは、小学４年生で、３人家族です。ぼくのお父さんは目が見えません。これから書くのは、お父さんの目が悪くて良かったこと、悪かったことです。

お父さんの目が悪くて悪かったことは、町に行ったときに２人で迷ったり、お父さんの手を引かなくちゃならないこと、ぼくの本当の顔がわからないこと、お父さんの手紙やパソコンを読まなくちゃいけないことなどです。

お父さんが「手紙、どこからきたの？」と、聞くとき、ぼくは、さいしょは、「えー。じぶんでよんでよ」と、いいたくなるけど、すぐに、「むりか……」と、思って、読んでいます。

お父さんの目が悪くて、良かったことは、お父さんのかきのたねをちゃっかりとることができたり、お父さんと一緒にバスの音がどこらへんから聞こえるか、あててみたりできることです。でも、お父さんとサイクリングにいけないのは、とても残念です。

もし、お父さんの目が見えたら、一緒にサイクリングにいけるし、おかあさんがいないときにもよめない字を聞くことができて、とてもいいだろうと思います。でも、目が見えなければ、かきのたねをとることもできて、いいと思います。

お父さんは目が見えないので、にらめっこは最強です。なのに「にらめっこやろうか」と、いわれて、「うん」と、いってしまう自分はなさけないと思います。それに、道をあるいているとき、わかるわけないのに、お父さんに、「あ！ 犬のフンだ！」と、いわれて、だまされたりして、とてもくやしいです。

ぎゃくに、こっちがだまそうとしても、ぜんぜん反応無しなので、もっと、くやしいです。

お父さんのパソコンは、音声式だけど、こんな早口でよくわかるなと思います。しかも、「カギカッコナントカカントカマルカギカッコ」とまでいうので、ぼくにとってはうるさくてうるさくてたまりません。それでも、お父さんの知り合いには目が見えなかったり耳が聞こえない人がたくさんいるので、これをチャンスに、ローマ字式指文字が勉強できて、楽しいです。

お父さんの目が見えなくて、いいこともあれば悪いこともあるけど、けっきょくは、毎日楽しいからどっちでもいいと思います。

（2007年４月発行の新聞より抜粋）

両親との関係　　愛知県　K・M

家族は両親との３人暮らしで、今年の４月から高校生になりました。両親は視力が弱いので、日常生活の中ではあまり不自由を感じているようには見えませんが、小さい文字を見たり遠くの物や人の様子がわかりづらいので、僕が読んだり説明をしたりして伝えます。たまに「めんどくさいな」と思うときもありますが、ずっと当たり前のようにしてきたので、嫌だと思ったことはありません。なので、友だちにも両親の話をするし、両親のことを知っている友だちとも特に問題なくきているので、僕も両親が視力が弱いことについて気にしたことはあまりなかったと思います。

ただ、小さい頃からどこへ行くのも徒歩が主流のわが家だったので、「うちにも車があったら便利で楽ができるのになあ」と思ったことがありました。でも中学２年のとき、学校で24キロを歩く研修旅行があり、日頃から歩き慣れていたおかげで最後まで歩き通す事ができました。それに両親と歩いていると、いろんな話をしたり、しりとりをしたりして、楽しみながら歩いていたように思います。最近では別行動をすることも多くなりましたが、今でも両親との会話をよくします。

父は物知りなので、勉強のことやパソコンの話をします。たまにふざけ合って調子に乗りすぎて、窓ガラスを割ったり物を壊したりして、母の雷が落ちます。たいてい最後は、父の方が僕の分まで叱られて、やっと解放されます。

そんな母は、勉強のことにはそれほどうるさく言いませんが、僕の生活態度には昔から厳しくて、学校で言うなら生活指導みたいなものです。でも、ふだんは明るくて陽気、友だち感覚で話せる存在です。

最近、僕もちょっとしたことでいらついたり、反抗的な態度になったりして、両親と揉めることもありますが、それはお互いに思ったことを言い合えるからこそ、意見が合わないと言い争いになったり、怒ったりするんだと思います。この先も両親とはいろんなことがあるかと思いますが、会話のできる関係でいたいです。

(2012年6月発行の新聞より抜粋)

親が見えないということ　　東京都　A・S

夫と「イヤイヤ期」まっただ中の2歳の娘と暮らしているSと申します。

私の母は網膜色素変性症でまったく目が見えず、父は緑内障で視力が弱いです。私が母のことを「他のお母さんと違うらしい」と意識しはじめたのは小学校に上がったころです。それまでも母が「見えない」ということはわかっていましたし、保育園の友だちも母の白杖を見て、「これ、なぁに?」と母に尋ねることは日常茶飯事でした。それでも、幼な過ぎたせいなのか、周囲から特別な目で見られているという意識はありませんでした。

私が「わが家は他の家とは違う」と強く意識させられたのは、近所の人や小学校で出会った友だちからのお決まりの質問、「Aちゃんの家では、だれがご飯を作っているの?」でした。初めて聞いたとき、私は頭の中にクエスチョンマークがたくさん。なぜみんなはそんなことを聞くのだろう? 他の家では違うの? と。私はありのままに答えました。「お母さんだよ」と。すると、「えー? だって、Aちゃんのお母さんって目が見えないんでしょ? できないでしょ？」という返答が判で押したように誰からも返ってきました。そして、そのあとは決まって「掃除は？ 洗濯は？」と質問は続きます。同級生たちは私の返答を聞くと、「ふ〜ん。そうなんだ！」で終わりです。ただ、大人の人は違いました。質問攻めにした後、多くの人は「それでもＡちゃんがお手伝いしているんでしょ？ 大変だね。お母さんはかわいそうなんだから、頑張ってね」と続けました。私はこの言葉に言葉をなくしました。すごく悔しくて、「絶対にお母さんにこのことを知られてはいけない」と決意したことを今でも鮮明に覚えています。

　私の母は目が見えません。だけど、私たち娘にたくさんの愛情を込めてご飯を作ってくれました。掃除だって、洗濯だって。父も見えにくいことから、外遊びやダイナミックな遊びの経験が不足するのでは？ との思いからYMCAのキャンプやガールスカウトに参加させてくれました。夜はお話をしてくれました。「赤ずきんちゃんがオオカミに食べられました。おしまい。」といった手抜きもありましたが。

　私は母がしてくれたすべてのことに感謝しています。中でも最も感謝していることは、母が決して自分の障がいを引け目に思わず、堂々としていたこと、「目が見えなくて大変なことはあるけれど、私は不幸ではない」と一貫していたことでした。そして、「人は皆違う。みんな違っていいし、その違いを認め合えればもっと豊かな世の中になる」という彼女のポリシーを彼女の生き方すべてで教えてくれたことです。

　そんなに頑張らなくてもいいんじゃない？　と思うこともありましたが、私自身、母になって肩肘を張ってしまう気持ちもわかりました。そして今思うこと、母はどんな思いで私を育ててくれたのか、それが少しだけわかったことで母への感謝と尊敬の念は、日に日に増しています。

「親が見えないということ」。私にとっては豊かな感受性を育ててくれたこと、なかなかできない経験をさせてくれたこと、豊かな人生の入り口に立たせてもらったこと、そういうことなのかなと、今は感じています。

(2014年５月発行の新聞より抜粋)

表紙イラストコンテスト応募作品

今回、かるがもの会の30周年記念誌を刊行するにあたり、会員のご家族から表紙イラストを募集しコンテストを行いました。ここに応募作品を紹介します。

← かるがも親子

作者：水島 章浩

かるがもの親子のイラストの絵は、タブレットでかるがもの画像を調べて、それを見てイラストの絵を描いて、色は茶色と薄い橙(だい)色(だい)系に塗りました。

女の子とお花（右）→

女の子とアリ（下）↓

作者：古川知佳

（右）青空に左側に髪を三つ編みをした娘がしゃがんでいます。右側にはチューリップやお花や蝶々がいます。段ボールにクレヨンで描いた横向きの絵です。

（下）青空に左に髪を２つに分けた娘がいます。しゃがんで左手を地面のアリを指さしています。右側にはチューリップが描かれています。

← ぐるぐるっと書いたママの顔

作者：Kくん

当時２歳の息子がぐるぐるっとなぐり描きしただけの絵です。本人は「ママの顔」と言っていました。編集委員さんから「何人かの絵を組み合わせて1つの表紙にしたい」というようなことを聞いていたので、これ単体では絵にはならないけど、子どもが描いたものっぽくて、子育て真っ最中のママになら、共感してもらえたりするかなって思いました。

ハートの中のかるがも親子→

作者：さいとう まみこ

親ガモ２羽が１羽の子ガモを挟んで立っていて、ピンク色のハート型の輪のなかで寄り添っています。家族の温かい絆をイメージして描きました。

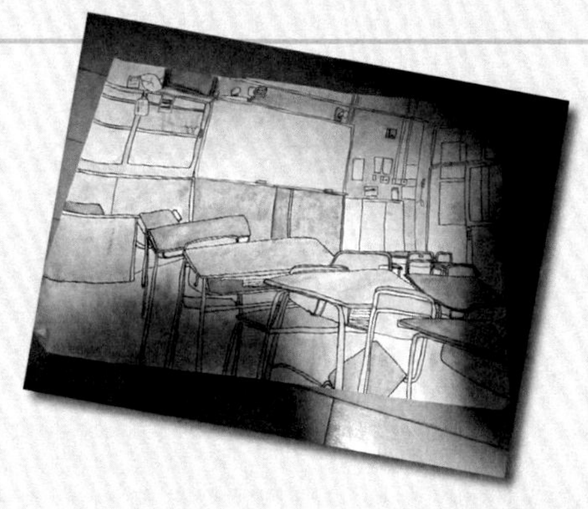

← **放課後の教室**

作者：金光 杏寿花

誰も座っていない机と椅子が並んでいます。教室の後ろ側からホワイトボードを正面に、左右には壁やロッカーなどが描かれています。人生の大半を過ごした学校。卒業を間近に、自分が大人になったときに、参観日などの授業風景やお友だちとのワンシーンなど、自由に空想できるきっかけになればと、あえて誰もいない放課後の教室を描きました。

花畑に立つ母と兄 →

作者：辻本 桃佳

下の娘が幼少期に描いたものが見つかった絵です。男の子と女の子がお花畑にたたずんでいる様子とのことです。本人は記憶にないようですが、お兄ちゃんと私を描いたのではと思います。

「ママはお姫様だよ」 →

作者：櫻井柚葉

2カ月ほど前に、4歳の娘が「ママをお姫様に描いたよ」と持って帰ってきてくれた絵です。

↑ **水面を泳ぐかるがも親子**　**作者名：かがみ**

これは、かるがもの会のために描き下ろしたものです。親ガモの背中に１羽の子ガモと、その手前に３羽の子ガモがいて、みな同じ方向に泳いでいます。マンガのような過度なデフォルメはせず、適度にリアルな画風で、ふわふわとしたヒナの質感も出し、可愛らしさを残しました。このイラストの中には白杖のお母さんや子どもは描かれていませんが、一緒に泳ぐカルガモからお母さんと子どもの関係性などが連想してもらえれば幸いです。

監修のことば

江村 圭巳（筑波大学附属視覚特別支援学校自立活動担当教諭）
（第５期・６期　かるがもの会代表）

かるがもの会設立30周年、おめでとうございます。10年以上前に、娘も大きくなったから、という理由で退会してからずいぶん月日が経ってしまいましたが、発足当時の仲間がかるがもの会をずっと続けてきてくださったことには感謝の気持ちでいっぱいです。そして、1998年に第１作目の『目の見えない私たちが作った子育ての本　―知ってほしい私たちの子育て』出版に続いて、かるがもの会の集大成となる第２作目の本『見えなくても　みんなで子育て』が発行されることはすばらしい企画だと思いました。

筑波大学附属盲学校に教員として勤務し数年が過ぎた頃、「附属の卒業生を中心に、視覚に障害のある母親が中心となって運営する子育ての会を作りたいんだけど、一緒にやりませんか」と誘われました。私は卒業生ではなかったものの、文化祭や部活の合宿などで顔なじみになっていた人が何人もいたことと、自分自身が視覚に障害を持って娘を出産して間もない中で子育ての情報がほしかったことで、入会しました。しかし、職場復帰して３か月の私にとっては、職場、保育園、帰宅といった毎日の中でしたので、活動などできないと思い、実のところあまり積極的な会員ではありませんでした。名前だけの会員だった私に突然、代表をやってほしいと、白羽の矢が立ってしまいました。

当時代表をしていた故Ａ・Ｍさんから「うちは、子ども３人もいるし、忙しくてかるがもの仕事ができないよ。うちの家族壊れちゃうから何とかしてよ。『ありがとう』と『ごめんなさい』が言えればできる仕事だよ」と説得され、なるほど、私は子どもと２人暮らしだし、挨拶ぐらいはできるから、と代表を引き受け、1998年から2002年まで２期（４年）も続けてしまいました。

そして、その１年目に１作目の本の出版となり、当時の編集委員の人たちと点字出版のお願いに行ったり、取材協力をしたりし、なんと翌年1999年５月には出版記念パーティーの企画・実施をすることになりました。当時を振り返って、苦労したり工夫したりしたことを少し紹介します。

確か参加費は集めなかったと思いますが、大人のほとんどが視覚障害者なので、交通便のよい場所でパーティーと宿泊が可能な、小ぢんまりとしてリーズナブルなホテル探しから始まりました。視覚障害者にはなじみの高田馬場で候補を探し、その結果、駅から２、３分の高立地で誰に聞いてもすぐに見つけてもらえる大正セントラルホテル（当時）に決まりました。親子の数を含めた参加人数の集約、セレモニーをしているときに子どもと遊んでもらえる場所とボランティアさんの手配、一番気を遣ったのは立食パーティーでした。本当は視覚障害者が多いので個別の食事がよかったのですが、お財布と相談した結果、立食にせざるをえませんでした。支配人や調理担当者にも相談にのっていただき、レストランを貸し切りにする、大人と子どものスペースを分ける、メニューは取りわけ安いものを中心に選ぶ、私たちが依頼するボランティアさん以外にお店の係の人も増やしてもらうなど、何度も打ち合わせをして、無事にパーティーを行うことができました。

出版記念のパーティーとはいうものの、遠方から参加する会員も多く、おしゃべりもしたいし、子どもも楽しませたいということから、翌日もイベントをしなくてはいけません。当時役員だったK・Sさんと下見をし、貸し切りバスをチャーターし、結局、その頃はまだ新しい東京観光のスポットだったお台場に行って2日間を終えました。みなさんが楽しい時間を過ごせたと言ってくださったのを聞き、目が見えなくても多くの方々の協力で、子どもの安全第一のイベントを成功させることができたと感無量の気持ちになったことを覚えています。

さて、『見えなくても　みんなで子育て』監修のことば執筆にあたり、編集委員の方からは、「一読しての感想を寄せてほしい」という依頼でしたが、何度となく読み返してしまいました。目次をご覧いただけばわかることですが、この本は大きく5つに章立てされ、かるがも新聞や会員個人のブログ、MLからの抜粋、サポートしてくださる側の方からの声、商品情報などが詳細に掲載されています。特に、一般の人には聞けない、また、当事者でなければわからない悩みや解決策なども、脚色しない会員さんの生の言葉でそのまま載せられているところに共感しました。生まれるまでは、「とにかく無事に生まれてほしい」とおなかをさすりながら話しかけ、生まれてきたら育児に追われ、なぜ泣いているかわからずに、親子で一緒に泣いたりした日々を思い出しました。育児で悩んだのは30年も前のことなのに、まるで昨日のことのように感じてしまい、泣きながら読みました。

そして早く小学校に上がってほしいと思ったのも束の間、保護者とのつき合いの面倒くささに圧倒され、子ども以上に私自身が萎縮してしまいました。

中学入学後に塾に入ったところ、「私は塾に行くようになって、とても勉強がわかるようになった」と娘に言われ、自分がいかにほったらかしだったかを痛感させられたりもしました。

子どもの成長に合わせて悩みは変わるものですが、親が注ぐ愛情は、障害の有無にかかわらず、常に変わらない、みんなに愛されて育っていく子どもたちにたくましさを感じます。さまざまな工夫をしながら、試行錯誤して、子育て、自分育てをしている、かるがもの会のみなさんに巡り合えてよかったと思います。

そしてこの本を手に取ったすべての人が、視覚障害者の子育てを理解し、応援し、ご自身の子育ても楽しんでいただけますことを祈念いたします。

最後になりますが、編集委員をはじめ、活字の校正、イラストの作成、写真やイラストの配置、本の装丁などの視覚的なサポートをしてくださったすべてのみなさまのご尽力に厚くお礼申し上げます。

2021年3月25日

江村 圭巳（えむら たまみ）

静岡県富士市出身。小学部、中学部は 沼津盲学校で、高等部は平塚盲学校で学ぶ。橘女子大学進学。大学卒業後点字校正のアルバイト。1984年度筑波大学附属盲学校に擁護訓練教員として就職。点字指導を中心に教員生活を継続中。教員の中に、全盲の女性教員がほとんどいなかったため、生徒や卒業生とは、就職、結婚、出産、育児、化粧や調理について、さまざまな話をして、毎日充実した日々を送る。子育てがほぼ終了した頃から、「視覚障害者ボウリング」を20年近く続けて、日本大会や世界大会に出場。

かるがもの会30年の年表

1991年

7月　かるがもの会設立　会員数8家族

8月　「かるがも新聞」№1発行

1994年

10月8日　「ラブリーペアレント」と交流会。（肢体不自由などさまざまな障害がある親達の子育てサークル。現在は解散）

1996年

6月22日　5周年記念フォーラム「自信を持とうよ！　私たちの子育て」開催。
視覚障害のある両親のもとで成長した人をパネラーに迎えた。

6月22日・23日　東北地区懇親会（岩手県）

1997年

7月26日・27日　海水浴一泊旅行（茨城県、現地ボランティアを多数依頼）

11月　「盲人用録音物等無料発受施設指定」受理される

11月　朝日新聞東京厚生文化事業団（現：朝日新聞厚生文化事業団）の「朝日福祉助成金」当選

1998年

2月　子育てアンケート報告集「育てながら育てられ」発行

10月24日　遊園地ピクニック（豊島園）

12月25日　「目の見えない私たちが作った子育ての本―知ってほしい私たちの子育て―」発行

1999年 ……………………………………………

5月　出版記念パーティー（大正セントラルホテル〈当時〉）、翌日お台場へバス観光

2004年 ……………………………………………

7月31日　第１３回定期総会（東京都新宿区）

2005年 ……………………………………………

3月13日　「フラワーアレンジメント作り」

10月25日　「お料理教室」（埼玉県）

2006年 ……………………………………………

3月9日　かるがもの会メーリングリストの運用開始（48％参加）

2007年 ……………………………………………

2月16日　「日帰り温泉＆ランチ会」（大阪府）

7月21日・22日　第16回定期総会＆名古屋港水族館見学（愛知県）

相談員による相談業務開始

「しゃべり場」（Skype 開催）

会員数104家族となる

11月　「かるがも新聞」№.100発行

2010年

6月15日　かるがもホームページの本格運用開始

7月17日・18日　第19回定期総会&発足20周年記念研修旅行　郡上八幡大滝鍾乳洞見学、および食品サンプル作り体験（岐阜県）

12月以降　PR活動「6カ所の施設・団体窓口にリーフレット（活字版・点字版）配布」

2012年

MLが有料サーバーに移転　加入者90%程度となる

2013年

4月21日　絵本の読み聞かせ & 手作りおもちゃ教室 & タンデム自転車乗車体験会（大阪府）

7月13日・14日　第22回定期総会&倉敷美観地区内見学「桃太郎のからくり博物館」（岡山県）

8月　「しゃべり場」電話会議システムの利用開始

2014年

6月7日　交流会（北海道）

10月12日　「ファンケルメイクセミナー In 東京」開催

2017年

2月18日　関東版 折り紙講習会（東京都）

4月8日　自立生活センター・昭島主催学習会「かるがもの会の取り組み」に講師として会員が出席（東京都昭島市）

2018年

かるがも新聞の発行がML送信のみとなる。

会員名簿の発行を終了し、新たに会員リストとしてMLに配信となる

3月12日　「住友生命　第11回　未来を強くする子育てプロジェクト」にて「スミセイ未来賞」受賞

7月1日・8日・15日　ラジオ日本「小鳩の愛〜 eye 〜（こばとのあい）」の番組にて、かるがもの会について3回放送

8月24日　「視覚障がい者が妊娠期に抱える課題の実態と支援に関する研究」インタビュー調査（関西大学社会安全学部都市防災研究室）からの依頼を受け、MLで呼びかけ協力

9月8日　iPhone講習会（大阪府）

2019年

12月9日　「webメディア　ミルクフ（見る工夫）」より、アンケートによる取材、結果が掲載される

2020年

7月18日　第29回定期総会（新型コロナウイルスの影響により電話会議システムにて開催）

11月21日　「ＺＯＯＭ体験会」講師に株式会社アメディアの代表取締役を招く

12月11日　「かるがも新聞」№.157発行

以上

◇◆◇◆◇◆◇ かるがもの会からのお知らせ ◇◆◇◆◇◆◇

当会のウェブサイト http://karugamo.lifejp.net にアクセスしていただくと、私たちが作成した次のような資料がダウンロードできます。サポートして下さる方に渡して、参考にしてもらいましょう。

①「目の不自由な人たちに対してのサポートの仕方」
②【子ども向け】「目が見えない・見えにくい人たちへのおてつだい・声かけのしかた」
③「視覚障害者目線からのお願い」

かるがも親子のイラスト　ロゴマークの説明

ショッキングピンクのハートの中にかるがも親子がいます。ハートの両側に親がもがいます。右側には首や体ががっしりしているパパがも、左側の少しスリムなのがママがも。そして、ママの足元にちょっと大きめの子がも、パパの足元にちっちゃな子がもが描かれています。かもはみんな左を向いています。そして、絵の下に筆ペンで「かるがもの会」と書かれています。
イラストは、かるがも会員の当時小学３年生のM・Sさんが描きました。

■本書の「点字版」についてのお問い合わせは、
下記へお願いします。
点字版製作・発行
社会福祉法人桜雲会
〒169-0075
東京都新宿区高田馬場 4-11-14-102
電話：03-5337-7866
E メール：ounkai@nifty.com
http://ounkai.jp

書名	見えなくても みんなで子育て
サブタイトル	一人じゃない 私たちの 30 年
発行年月日	2021 年 7 月 1 日
編著者	かるがもの会
監修	江村圭巳
連絡先	かるがもの会 http://karugamo.lifejp.net
表紙イラスト	M・S
章扉・p93 イラスト	かがみ
編集人	村上　文
発行人	成松一郎
発行所	有限会社読書工房 〒 171-0031　東京都豊島区目白 3-13-18　ウィング目白 102 電話：03-5988-9160　ファックス：03-5988-9161
E メール	info@d-kobo.jp
	https://www.d-kobo.jp
装丁・本文デザイン	大六野雄二（エッジデザインオフィス）
印刷・製本	デジタルオンデマンド出版センター

ISBN978-4-902666-41-0